JAMES SALLIS

Amerykański prozaik, poeta, eseista, scenarzysta i muzyk. Urodził się w 1944, wychowywał nad brzegami rzeki Mississippi. Ukończył Tulane University w Nowym Orleanie; tam też debiutował jako pisarz. W Londynie współredagował czasopismo science-fiction „New Worlds". Mieszkał kolejno w Nowym Jorku, Bostonie, Paryżu, Pensylwanii, Teksasie i Arizonie, pracując jako terapeuta, wykładowca, nauczyciel muzyki, aktor, recenzent książek i tłumacz (m.in. Marka Hłaski i Borysa Pasternaka). Jego dorobek literacki obejmuje opowiadania, poezję, eseje, biografie, opracowania z dziedziny muzykologii oraz ponad 20 powieści, głównie kryminalnych. Jest wśród nich popularna seria z prywatnym detektywem Lew Griffinem oraz takie tytuły jak *Death Will Have Your Eyes*, *Cypress Grove*, **Drive** (sfilmowany przez Nicolasa Windinga Refna), *Salt River*, *The Killer Is Dying* i **Kierowca**. Sallis był wielokrotnie nominowany do prestiżowych nagród literackich – Nebula, Edgar, Anthony, Shamus i Gold Dagger.

Tego autora

DRIVE

KIEROWCA

JAMES SALLIS

Drive

Z angielskiego przełożył
ANDRZEJ SZULC

Wydawnictwo
A. Kuryłowicz

Tytuł oryginału:
DRIVE

Redakcja: Barbara Nowak
Ilustracja na okładce: Blue Sky Distribution a.s.
Skład: Laguna

ISBN 978-83-7659-622-8

Dystrybutor
Firma Księgarska Olesiejuk sp. z o.o. sp. k.-a.
Poznańska 91, 05-850 Ożarów Maz.
t./f. 22.535.0557, 22.721.3011/7007/7009
www.olesiejuk.pl

Sprzedaż wysyłkowa – księgarnie internetowe
www.merlin.pl
www.empik.com
www.amazonka.pl

Wydawca
WYDAWNICTWO ALBATROS A. KURYŁOWICZ
Hlonda 2A/25, 02-972 Warszawa
www.wydawnictwoalbatros.com

2012. Wydanie I
Druk: WZDZ – Drukarnia Lega, Opole

*Edowi McBainowi, Donaldowi Westlake'owi
i Larry'emu Blockowi — trzem wielkim
amerykańskim pisarzom*

Rozdział pierwszy

Znacznie później, opierając się plecami o ścianę w Motelu 6, trochę na północ za Phoenix, i obserwując sunącą ku niemu kałużę krwi, Kierowca będzie się zastanawiał, czy nie popełnił jakiegoś strasznego błędu. Jeszcze później nie będzie oczywiście co do tego wątpliwości. Na razie jednak Kierowca, jak to mówią, żyje chwilą. Na tę chwilę składa się sunąca ku niemu krew, wpadające przez okno i drzwi światło późnego świtu, hałas z przebiegającej obok autostrady międzystanowej i czyjś płacz w sąsiednim pokoju.

Krew płynęła z kobiety, która twierdziła, że ma na imię Blanche i pochodzi z Nowego Orleanu, choć wszystko prócz udawanego akcentu wskazywało, że jest ze Wschodniego Wybrzeża — być może z Bensonhurst albo innych peryferii Brooklynu. Ramiona Blanche spoczywały na progu łazienki. Wiedział, że niewiele zostało z jej głowy.

Ich pokój numer 212, na drugim piętrze, miał podłogę i wylewkę wystarczająco równą, by krew rozlewała się powoli, wytyczając tak jak wcześniej on kontur jej ciała, sunąc ku niemu niczym oskarżycielski palec. Prawe ramię bolało go jak wszyscy diabli. To była kolejna rzecz, którą wiedział: wkrótce będzie go bolało o wiele bardziej.

Kierowca zdał sobie sprawę, że wstrzymuje oddech, nasłuchując syren, szurania stóp za drzwiami i głosów ludzi gromadzących się na schodach i na dole na parkingu.

Jego oczy po raz kolejny omiotły pokój. Przy uchylonych frontowych drzwiach leżało ciało chudego wysokiego mężczyzny, możliwe, że albinosa. Co dziwne, niewiele krwawił. Może krew tylko czekała. Może kiedy go podniosą i obrócą, natychmiast się z niego wyleje. Tymczasem od bladej skóry odbijało się jedynie światło neonów i samochodowych reflektorów.

Drugi trup był w łazience, zakleszczony w oknie.

Tam właśnie zobaczył go Kierowca w chwili, gdy facet nie mógł wejść ani wyjść. Miał ze sobą strzelbę śrutówkę. Krew z jego gardła zgęstniała i wypełniła umywalkę. Przy goleniu Kierowca używał ostrej brzytwy. Należała do jego ojca. Za każdym razem kiedy wprowadzał się do nowego pokoju, rozkładał najpierw swoje rzeczy. Brzytwa leżała przy umywalce razem ze szczoteczką do zębów i grzebieniem.

Na razie było ich dwóch. Pierwszemu facetowi, który zakleszczył się w oknie, odebrał strzelbę i zastrzelił z niej drugiego. To był remington 870 z lufą uciętą tuż za magazynkiem, długą mniej więcej na piętnaście cali. Wiedział to z powtórki z *Mad Maxa*, przy której kiedyś pracował. Kierowca był człowiekiem uważnym.

Teraz czekał. Nasłuchiwał. Odgłosu stóp, syren, zatrzaskiwanych drzwi.

Usłyszał kapanie wody z kranu przy wannie w łazience. W sąsiednim pokoju wciąż płakała kobieta. A potem usłyszał coś jeszcze. Jakieś drapanie, skrobanie...

Minęło trochę czasu, nim zdał sobie sprawę, że to jego własna ręka, która odruchowo podrygiwała, stukała knykciami w podłogę, szorowała i bębniła w nią palcami, kiedy zwierały się mięśnie.

Potem i te dźwięki umilkły. Stracił czucie w ręce i w końcu przestała podrygiwać. Wisiała uniezależniona od niego, odłączona niczym zgubiony but. Kierowca próbował nią poruszyć. Bez skutku.

Będzie się tym martwił później.

Spojrzał na otwarte drzwi. Może to koniec, pomyślał. Może nikt już się nie pojawi, może jest po wszystkim. Może na razie wystarczą trzy trupy.

Rozdział drugi

Kierowca nie czytał zbyt wielu książek. I nie był zagorzałym kinomanem, jeśli już o to chodzi. Podobał mu się film *Wykidajło*, ale to było dawno temu. Nigdy nie chodził na filmy, w których jeździł, ale czasami, po tym, jak skumał się ze scenarzystami, jedynymi oprócz niego facetami, niemającymi na planie prawie przez cały dzień nic do roboty, czytał książki, na których były oparte. Nie pytajcie go dlaczego.

To była jedna z tych irlandzkich powieści — ludzie mieli straszne konflikty z ojcami, jeździli dużo na rowerach i od czasu do czasu coś wysadzali. Jej autor, mrużąc oczy, spoglądał ze zdjęcia na tylnej stronie okładki niczym jakaś wyciągnięta na światło dzienne nowa forma życia. Kierowca znalazł powieść w antykwariacie na Pico Boulevard i zastanawiał się, czy bardziej pachną stęchlizną książki, czy sweter starszej pani — właścicielki. A może sama starsza pani. Starsi ludzie pachną czasem w ten sposób. Zapłacił dolara dziesięć centów i wyszedł.

Nie wydawało mu się, żeby film miał coś wspólnego z książką.

Kierowca występował w nim w kilku zabójczych scenach po tym, jak bohater wyjechał nielegalnie z Irlandii Północnej do nowego świata (taki był tytuł książki, *Nowy świat Seana*), z bagażem kilkuset lat gniewu i pretensji. W książce Sean przyjeżdżał do Bostonu. Filmowcy przenieśli akcję do LA. Jeden pies. Lepsze ulice i nie trzeba się tak przejmować pogodą.

Popijając kupioną na wynos horchatę, Kierowca zerknął na telewizor, na którego ekranie nawijający jak karabin maszynowy Jim Rockford prezentował swoje typowe werbalne sztuczki. Zajrzał z powrotem do książki, przeczytał kilka linijek i zaciął się na słowie r u d y m e n t. Co to, do diabła, za słowo? Zamknął książkę i odłożył ją na nocną szafkę, gdzie dołączyła do innych autorstwa Richarda Starka,

George'a Pelecanosa, Johna Shannona i Gary'ego Phillipsa — wszystkich kupionych w tym samym antykwariacie na Pico Boulevard, gdzie panie w różnym wieku przychodziły co godzina z naręczami romansów i kryminałów, za każde dwa dostając jeden. Rudyment.

W knajpie Denny'ego dwie przecznice dalej Kierowca wrzucił monety do automatu i wybierając numer Manny'ego Gildena, patrzył, jak ludzie wchodzą i wychodzą z restauracji. To było popularne miejsce, sporo rodzin, sporo ludzi, którzy siadali obok ciebie tak, że trzeba się było przesunąć o cal albo dwa, w okolicy, gdzie hasła na T-shirtach i kartkach z pozdrowieniami w miejscowym sklepie Walgreena były najczęściej po hiszpańsku.

Może potem zje śniadanie, zawsze to jakieś zajęcie.

On i Manny poznali się na planie filmu science fiction, w którym w jednej z wielu postapokaliptycznych Ameryk Kierowca podróżował cadillakiem el dorado przerobionym tak, że wyglądał jak czołg. Jego zdaniem między el dorado i czołgiem nie było zresztą cholernie dużej różnicy. Obsługiwało się je mniej więcej tak samo.

Manny należał do najbardziej rozchwytywanych scenarzystów w Hollywood. Ludzie mówili, że ma miliony upchnięte w materacu. Może i miał, kto wie. W dalszym ciągu jednak mieszkał w rozsypującym się bungalowie nieopodal Santa Monica i nosił płócienne spodnie z postrzępionymi mankietami oraz T-shirty, na które na oficjalnych imprezach w rodzaju tak uwielbianych hollywoodzkich bankietów mógł czasami narzucić wytartą do gołej nitki starą sztruksową marynarkę. I był prosto z ulicy. Żadnego dyplomu, żadnego wykształcenia godnego wzmianki. Kiedyś przy drinku agent Kierowcy powiedział mu, że Hollywood składa się prawie wyłącznie z absolwentów Ligi Bluszczowej, którzy skończyli studia z wynikiem C+. Manny, który brał się do wszystkiego, od poprawiania adaptacji Henry'ego Jamesa po pisane na kolanie scenariusze filmów klasy B w rodzaju *Billy's Tank*, zadawał temu kłam.

Jak zwykle odebrała jego automatyczna sekretarka.

Wiesz, kim jestem, w przeciwnym razie byś nie dzwonił. Przy odrobinie szczęścia zastałeś mnie przy pracy. Jeśli nie pracuję — a ty masz dla mnie

pieniądze albo zlecenie — zostaw, proszę, swój
numer. Jeśli nie masz ani jednego, ani drugiego,
nie zawracaj mi głowy, po prostu spadaj.

— Jesteś tam, Manny? — zapytał Kierowca.

— Tak. Tak... jestem... zaczekasz chwilę?... Właśnie coś kończę.

— Zawsze coś kończysz.

— Daj, tylko zapiszę... No. Zrobione. Coś radykalnie nowego, mówi mi producent. Jego zdaniem to Virginia Woolf z trupami i pościgami samochodowymi.

— I co mu odpowiedziałeś?

— Wzruszając ramionami? To co zawsze. Mam poprawić, napisać od nowa czy zrobić scenopis? Na kiedy to potrzebujesz? Ile płacisz? Cholera. Zaczekaj chwilę.

— Jasne.

— ...to rzeczywiście znak nowych czasów. Domokrążca, który sprzedaje ekologiczne jedzenie. Tak jak wtedy, kiedy pukali do ciebie z połówką zarżniętej i zamrożonej krowy, przekonując, że to wspaniała okazja. Tyle steków, tyle żeberek, tyle mielonego.

— Wspaniała okazja to jest to, o co chodzi w Ameryce. W zeszłym tygodniu miałem tu kobietę, która wciskała mi taśmy ze śpiewem wielorybów.

— Jak wyglądała?

— Pod czterdziestkę. Dżinsy z odciętym paskiem. Spłowiała flanelowa koszula. Latynoska. Była pewnie siódma rano.

— Tutaj też się chyba pojawiła. Nie otworzyłem drzwi, ale wyjrzałem. Mógłbym z tego skroić dobre opowiadanie... gdybym wciąż pisał opowiadania. Czego chcesz?

— Rudyment.

— Znowu czytamy, tak? To może ci zaszkodzić. Rudyment to coś, co zanikło. Jest w stanie szczątkowym, nikt tego nie używa.

— Dzięki, człowieku.

— To wszystko?

— Tak, ale moglibyśmy kiedyś wstąpić na drinka.

— Jak najbardziej. Została mi ta rzecz, która jest w zasadzie skończona, następnie podszlifowanie remake'u argentyńskiego filmu i dzień albo dwa na poprawienie dialogów w jakimś pretensjonalnym polskim chłamie. Masz plany na przyszły czwartek?

— Czwartek może być.

— U Gustava? Koło szóstej. Przyniosę butelkę czegoś dobrego.

To była jedyna słabość Manny'ego, której uległ po odniesieniu sukcesu: uwielbiał dobre wino. Pojawi się pewnie z butelką chilijskiego merlota albo mieszanką merlota i shirazu z Australii. Będzie tam siedział w ciuchach, za które zapłacił może dziesięć dolców w najbliższym sklepie z używanymi rzeczami, i nalewał ten wspaniały trunek.

Na samą myśl o knajpie Gustava Kierowca przypomniał sobie smak ich duszonej na wolnym ogniu wołowiny z juką. Poczuł się głodny. I przypomniał sobie slogan znacznie bardziej ekskluzywnej restauracji w LA: Doprawiamy nasz czosnek jedzeniem. U Gustava dwadzieścia parę krzeseł i o połowę mniejsza liczba stolików kosztowały łącznie może sto dolców, pojemniki z mięsem i serami stały na widoku i upłynęło sporo czasu, odkąd po raz ostatni umyli ściany. Ale ten slogan do nich pasował: Doprawiamy nasz czosnek jedzeniem.

Kierowca podszedł do blatu i wypił swoją zimną kawę. Nalał sobie kolejną filiżankę gorącej, ale była niewiele lepsza.

U Benita za rogiem zamówił *burrito de machaca* i dołożył sobie krojonych pomidorów i *jalapeño* z baru sałatkowego. Coś ze smakiem. Z szafy grającej płynęła typowa latynoska muzyka z sąsiedztwa, gitara i bajo sexto opowiadające, jak to niegdyś bywało, akordeon, który otwierał się i zamykał niczym komory serca.

Rozdział trzeci

Do czasu gdy mniej więcej jako dwunastolatek Kierowca osiągnął obecny wzrost, był jak na swój wiek nieduży, którą to cechę skrzętnie wykorzystywał jego ojciec. Chłopiec przeciskał się bez trudu przez małe otwory, łazienkowe okna, drzwiczki dla psów i tym podobne, co czyniło zeń przydatnego pomocnika w fachu ojca, który zajmował się włamaniami. Kiedy osiągnął swój wzrost, osiągnął go od razu, prawie z dnia na dzień wystrzeliwując w górę z niecałych czterech stóp do sześciu stóp i dwóch cali. Własne ciało wydawało mu się odtąd obce i obco się w nim czuł. Kiedy szedł, ramiona zwisały mu po bokach i powłóczył nogami. Kiedy próbował biec, często się potykał i przewracał. W jednym był jednak dobry: w prowadzeniu samochodu. Prowadził jak skurwysyn.

Kiedy urósł, ojciec nie miał już z niego wiele pożytku. Nie miał też pożytku z jego matki, i trwało to o wiele dłużej. Kierowca nie był więc zdziwiony, gdy pewnego wieczoru przy kolacji matka rzuciła się na jego starego z nożem do mięsa i nożem do chleba, po jednym w każdej zaciśniętej dłoni, niczym ninja w fartuchu w czerwoną kratę. Zanim zdążył odstawić filiżankę z kawą, oberżnęła mu ucho i wycięła szerokie czerwone usta na szyi. Kierowca popatrzył na to i wbił zęby w swoją kanapkę: mielonkę z galaretką miętową na grzance. Do tego ograniczała się kuchnia jego matki.

Zawsze podziwiał gwałtowność ataku tej spokojnej, uległej kobiety — jakby przez całe życie zbierała siły do tego pojedynczego nagłego czynu. Potem nie nadawała się już do niczego. Kierowca robił, co mógł. W końcu jednak wkroczyło państwo i zabrało ją wraz z podłokietnikami z zarośniętego brudem wyściełanego fotela. Kierowcę spakowali i wysłali do przybranych rodziców, państwa Smithów w Tucson, których aż do swego wyjazdu wprawiał w zdumienie za każdym razem, kiedy wchodził przez frontowe drzwi lub wynurzał się z małego pokoiku na strychu, gdzie żył jak strzyżyk.

Na kilka dni przed swoimi szesnastymi urodzinami Kierowca zszedł po schodach z pokoiku na strychu, niosąc wszystkie swoje rzeczy w marynarskim worku i zapasowy kluczyk do forda galaxie, który zwinął z szuflady w kuchni. Pan Smith był w pracy, pani Smith prowadziła zajęcia w wakacyjnej szkółce biblijnej, w której dwa lata wcześniej, zanim przestał tam uczęszczać, Kierowca zdobywał nagrody za uczenie się na pamięć najdłuższych fragmentów Pisma Świętego. Był środek lata, upał w jego pokoiku na górze nie do wytrzymania, niewiele lepiej było na dole. Krople potu kapały na kartkę, na której pisał.

Przepraszam za samochód, ale muszę mieć cztery kółka. Nie wziąłem nic więcej. Dziękuję za to, że mnie przygarnęliście, i za wszystko, co zrobiliście. Serio.

Rzuciwszy worek na tylne siedzenie, wycofał się z garażu, przyhamował przed znakiem stopu przy końcu uliczki i skręcił ostro w lewo, do Kalifornii.

Rozdział czwarty

Spotkali się w tanim barze między Sunset i Hollywood na wschód od Highland. Katolickie uczennice w mundurkach czekały na autobusy, stojąc naprzeciwko butików z koronkami, wyrobami skórzanymi i bielizną oraz sklepów obuwniczych, gdzie sprzedawali szpilki w rozmiarze piętnastym i większe.

Kierowca wiedział, że to on, kiedy tylko facet wszedł do środka. Prasowane spodnie khaki, ciemny T-shirt, sportowa marynarka. Obowiązkowy złoty zegarek. Pierścionki na palcu, kolczyki w uchu. Z barowego stereo sączył się łagodny jazz, fortepian i dwa albo trzy inne instrumenty, coś rytmicznie śliskiego, węgorzowatego, trudnego do uchwycenia.

Przybysz zamówił czarnego johnniego walkera,

czystego. Kierowca pozostał przy wcześniejszym wyborze. Zajęli stolik z tyłu sali.

— Polecił mi ciebie Revell Hicks.

Kierowca pokiwał głową.

— Miło z jego strony.

— Coraz trudniej opędzić się od amatorów, rozumiesz, o co mi chodzi? Każdy chce uchodzić za strasznego drania, każdy sądzi, że robi najlepszy sos do spaghetti, każdy uważa się za dobrego kierowcę.

— Pracowałeś z Revellem, więc jesteś chyba zawodowcem.

— I nawzajem. — Przybysz wychylił swoją szkocką. — Z tego, co słyszałem, jesteś ponoć najlepszy.

— Jestem.

— Słyszałem też, że czasami trudno się z tobą pracuje.

— Nie kiedy się dobrze rozumiemy.

— Co tu jest do rozumienia? To moja robota. Więc ja jestem kierownikiem planu. Ja kieruję zespołem i podejmuję wszystkie decyzje. Albo wchodzisz do zespołu, albo nie.

— W takim razie nie wchodzę.

— Jasna sprawa. Twoja decyzja.

— Przeszła mi koło nosa kolejna superokazja.

— Pozwól przynajmniej, że postawię ci kolejnego drinka.

Facet poszedł do baru zamówić następną kolejkę.

— Ale to nie daje mi spokoju — oświadczył, stawiając na stoliku kolejne piwo i szklaneczkę szkockiej. — Możesz mnie oświecić?

— Siedzę za kółkiem. To wszystko, co robię. Nie pomagam ci, kiedy planujesz skok i kiedy sprawdzasz teren. Mówisz mi, skąd i dokąd jedziemy, dokąd jedziemy później, o jakiej porze dnia. Nie biorę udziału, nikogo nie znam, nie jestem uzbrojony. Prowadzę samochód.

— Takie podejście pozbawi cię w drastyczny sposób większości ofert.

— To nie jest podejście, to zasada. Odrzucam znacznie więcej ofert, niż biorę.

— Ta jest bardzo opłacalna.

— Zawsze są.

— Nie tak jak ta.

Kierowca wzruszył ramionami.

To jedno z tych zamożnych osiedli na północ od Phoenix, oświadczył Przybysz, siedem godzin jazdy, całe akry kosztujących po pół miliona domów ciągnących się aż po horyzont, wypierających pustynne kaktusy. Napisał coś na karteluszku i przesunął go dwoma palcami po stole. Kierowca pamiętał, że coś takiego robią sprzedawcy samochodów. Ludzie są tacy cholernie głupi. Czy ktoś, kto ma elementarne poczucie własnej godności, pójdzie na coś takiego? Jaki głupek kiedykolwiek się na to zgodzi?

— To jakiś żart, tak? — zapytał.

— Nie bierzesz udziału, nie chcesz swojej działki, więc proszę bardzo. Opłata za usługę. Proste jak drut.

Kierowca wychylił swoją szkocką i odsunął od siebie piwo. Z fundatorem trzeba grzecznie.

— Przepraszam, że zająłem ci czas.

— Pomoże, jeśli dodam do tego zero?

— Dodaj trzy.

— Nikt nie jest aż tak dobry.

— Jak już mówiłeś, w mieście jest sporo kierowców. Znajdź sobie jakiegoś.

— Chyba już znalazłem. — Przybysz dał znak Kierowcy, żeby nie wstawał, i pchnął w jego stronę piwo. — Po prostu się z tobą droczę, człowieku, sprawdzam cię. — Mówiąc to, dotknął palcami małego kółka w prawym uchu. Później Kierowca uznał, że to był chyba znak. — Cztery osoby, dzielimy się na pięć. Dwie działki dla mnie, po jednej działce dla pozostałych. Pasuje?

— Ujdzie w tłoku.

— Więc umowa stoi.

— Stoi.

— To dobrze. Chcesz się jeszcze napić?

— Czemu nie?

W tym momencie saksofon altowy podjął końcówkę melodii i zaczął się długi powolny zjazd.

Rozdział piąty

Po wyjściu od Benita Kierowca znalazł się w odmienionym świecie. Jak większość miast LA stawało się po zmroku zupełnie inną bestią. Nisko nad horyzontem wisiały ostatnie różowe i pomarańczowe smugi, pękając i gasnąc. Słońce odpuszczało sobie i do akcji wchodziły światła miasta, sto tysięcy niecierpliwych dublerów. Trzej ogoleni na łyso faceci w bejsbolowych czapkach stali przy jego samochodzie. Niezbyt im się chyba spodobał. Nierzucający się w oczy ford z lat osiemdziesiątych. Nie otwierając maski, nie mogli wiedzieć, jak został przerobiony. Nie wiedzieli.

Kierowca podszedł do drzwiczek i czekał.

— Niezła bryka, człowieku — powiedział jeden

z młodych twardzieli, ześlizgując się z maski. Spojrzał na swoich kumpli i wszyscy się roześmiali.

Ale jaja.

Kierowca trzymał kluczyki w dłoni; jeden z nich sterczał między drugim i trzecim palcem. Dając krok do przodu i uderzając prosto w tchawicę samca alfa, poczuł, jak kluczyk rozrywa warstwy skóry, i patrzył, jak facet pada na ziemię, próbując kurczowo złapać powietrze.

W tylnym lusterku obserwował młodych twardzieli, którzy stanęli nad swoim kumplem i machając rękoma i kłapiąc dziobami, zastanawiali się, co, do diabła, dalej robić. Nie tak to miało wyglądać.

Może powinien się odwrócić. Podejść do nich i powiedzieć, że tym właśnie jest życie: długą serią rzeczy, które poszły nie tak.

Do diabła z tym. Albo sami do tego dojdą, albo nie. Większości ludzi nigdy się to nie udaje.

Dom był oczywiście pojęciem względnym, ale tam właśnie pojechał. Kierowca przeprowadzał się co kilka miesięcy. Pod tym względem niewiele się zmieniło od czasów, gdy mieszkał w pokoiku na strychu u państwa Smithów. Egzystował na uboczu zwykłego świata, nie rzucając się w oczy, niczym cień, którego prawie nie widać. To, co miał, mógł albo zarzucić na plecy, albo zostawić. Tym, co najbardziej podobało mu się w wielkim mieście, była anonimowość, bycie w środku i jednocześnie na zewnątrz. Preferował starsze osiedla, gdzie asfalt na parkingach był popękany i poplamiony olejem, gdzie nikt się nie skarżył, kiedy facet kilkoro drzwi dalej puszczał za głośno muzykę, gdzie lokatorzy pakowali się często w środku nocy i odjeżdżali w siną dal. Nawet gliniarze nie lubili tam się pojawiać.

Jego obecne mieszkanie znajdowało się na drugim piętrze. Od frontu mogło się wydawać, że na górę można się dostać tylko prowadzącymi doń osobnymi schodkami. Z tyłu wychodziło się jednak na wspólny balkon, z klatkami schodowymi rozmieszczonymi co trzy mieszkania. Z klaustrofobicznego korytarzyka tuż za drzwiami wchodziło się na prawo do salonu i na lewo do łazienki; kuchnia schowana była za salonem niczym ptasi łebek pod skrzydłem. Przy odrobinie sprytu można tam było wcisnąć ekspres do kawy, dwa lub trzy garnki, a także kilka talerzy i kubków i wciąż mieć dość miejsca, żeby się odwrócić.

Co Kierowca zrobił, stawiając na gazie garnek z wodą i wychodząc do salonu, żeby spojrzeć na puste okno dokładnie naprzeciwko. Czy ktoś tam mieszkał? Mieszkanie wyglądało na zamieszkane, ale nie widział tam jeszcze żadnego ruchu, żadnych oznak życia. Piętro niżej mieszkała pięcioosobowa rodzina. O którejkolwiek porze dnia i nocy by spojrzał, co najmniej dwie osoby siedziały tam i oglądały telewizję. Jedną z kawalerek po prawej zajmował samotny mężczyzna. Przychodził codziennie kwadrans przed szóstą po południu z sześciopakiem piwa i obiadem w białej torbie, po czym siadał, gapiąc się w ścianę, i sączył równo piwo, wypijając jedno w pół godziny. Przy trzecim wyjmował hamburgera, zjadał go i wypijał pozostałe piwa. Skończywszy, kładł się spać.

Zaraz po wprowadzeniu się Kierowcy w mieszkaniu po lewej stronie mieszkała przez kilka tygodni kobieta w nieokreślonym wieku. Rano, po wzięciu prysznica, siadała przy kuchennym stole i wcierała w nogi balsam. Wieczorem, ponownie naga albo prawie naga, siedziała, rozmawiając godzinami przez przenośny telefon. Kierowca widział raz, jak cisnęła go silnie przez pokój. Podeszła wówczas do okna i rozpłaszczyła piersi na szybie. W oczach miała łzy — a może tylko mu się tak zdawało? Po tamtej nocy już jej nie zobaczył.

Wróciwszy do kuchni, zalał wrzącą wodą mieloną kawę w filtrze.

Czy ktoś pukał do jego drzwi?

To było absolutnie niemożliwe. Ludzie mieszkający w takich miejscach jak Palm Shadows rzadko się integrowali i nie mieli powodu oczekiwać gości.

— Przyjemnie pachnie — powiedziała, kiedy otworzył drzwi. Koło trzydziestki. Dżinsy wyglądające tak, jakby w kilku miejscach coś na nich wybuchło, z wystającymi tam kłębami białych nitek. Za duży T-shirt z dawno spłowiałym napisem, z którego pozostały F, A oraz kilka półotwartych spółgłosek. Sześć cali blond włosów i pół cala ciemnych odrostów.

— Właśnie wprowadziłam się do sąsiedniego mieszkania.

Zobaczył przed sobą długą, wąską dłoń, dziwnie podobną do stopy. Uścisnął ją.

— Trudy.

Nie zapytał, co robi tutaj taka biała klucha jak ona. Zaciekawił go jej akcent. Czyżby z Alabamy?

— Usłyszałam pańskie radio, stąd wiedziałam, że jest pan w domu. Zrobiłam właśnie grzankę z kukurydzianego chleba i nagle uświadomiłam sobie, że nie mam ani jednego jajka. Nie ma pan przypadkiem...

— Przykro mi. Pół przecznicy stąd jest koreański sklepik.

— Dzięki... Mogłabym wejść?

Kierowca odsunął się na bok.

— Lubię znać swoich sąsiadów.

— W takim razie chyba źle pani trafiła.

— Nie po raz pierwszy. Stale podejmuję złe decyzje. Mam do tego prawdziwy talent.

— Może pani coś podać? Chyba mam parę piw w lodówce, którą pani nazywa pewnie chłodziarką.

— Dlaczego miałabym ją tak nazywać?

— Myślałem...

— Właściwie chętnie napiłabym się tej kawy. Wspaniale pachnie.

Kierowca poszedł do kuchni, napełnił dwa kubki i przyniósł je.

— Trochę dziwne miejsce do życia — powiedziała.

— LA?

— Nie, mam na myśli ten dom.

— Chyba tak.

— Facet, który mieszka pode mną, zawsze uchyla drzwi, kiedy wchodzę. W sąsiednim mieszkaniu telewizor gra dwadzieścia cztery godziny na dobę. Hiszpańskie kanały. Salsa, telenowele, w których połowa bohaterów ginie, a reszta wydziera się na całe gardło, okropne sitcomy z grubasami w różowych garniturach.

— Widzę, że pasuje tu pani jak ulał.

Kobieta się roześmiała. Siedzieli w milczeniu, sącząc kawę i nie rozmawiając o niczym szczególnym. Kierowca nie miał serca do luźnych pogawędek, nigdy nie rozumiał, czemu miałyby służyć. Nie był też zbytnio wyczulony na to, co czują inni. Ale teraz się zorientował, że mówi otwarcie o swoich rodzicach i wyczuwa w swojej chwilowej towarzyszce jakiś głęboki ból, którego być może nigdy nie uda się uśmierzyć.

— Dziękuję za kawę — powiedziała w końcu. — A jeszcze bardziej za rozmowę. Ale szybko robię się senna.

— Najtrudniej o wytrwałość.

Podeszli razem do drzwi. Znowu pojawiła się przed nim ta długa wąska dłoń. Uścisnął ją.

— Mieszkam w dwa G. Pracuję w nocy, więc jestem w domu przez cały dzień. Może wpadnie pan kiedyś.

Przez chwilę czekała, a kiedy nic nie odpowiedział, odwróciła się i odeszła korytarzem. Z cudownymi biodrami i tyłkiem w tych dżinsach. Z oddali wydając się jeszcze mniejsza, niż była. Zabierając cały ten ból i smutek z powrotem do kryjówki, w której mieszkały one i ona.

Rozdział szósty

W trakcie drugiej roboty, w której uczestniczył, poszło źle wszystko, co mogło. Faceci uważali się za zawodowców. Nie byli nimi.

Mieli obrobić lombard przed Santa Monica, nieopodal lotniska, obok dwóch budynków, które przypominały staroświeckie dziurkowane karty do komputerów. Sam lombard nie wyglądał imponująco, gdy wchodziło się od frontu: te same co wszędzie akordeony, rowery, sprzęt stereo, biżuteria i złom. Wartościowe rzeczy wjeżdżały i wyjeżdżały z tyłu. Myto płacone przy wyjściu składano w sejfie tak starym, że Doc Holliday mógł w nim trzymać swoje narzędzia dentystyczne.

Nie zależało im na akordeonach ani na biżuterii. Co innego pieniądze w sejfie.

Kierowca prowadził forda galaxie. Już wyjeżdżając z fabryki, ten model ma więcej mocy, niż może się wydawać potrzebne, a on spędził sporo czasu pod maską. Z bocznej alejki obserwował, jak uczestnicy napadu, z których dwaj wyglądali na braci, zmierzają do lombardu. Kilka minut później usłyszał strzały niczym trzaśnięcia z bicza. Raz, dwa, trzy. A potem coś jakby wystrzał armatni i brzęk tłuczonego okna. Kiedy poczuł, że siadają z tyłu, ruszył z kopyta. Kilka przecznic dalej ruszyli za nim w pościg gliniarze, najpierw dwa, potem trzy radiowozy, ale na trasie, którą jechał — nie mówiąc już o tym, jak jechał — nie mieli większych szans z galaxie i wkrótce potem ich zgubił. Kiedy było po wszystkim, odkrył, że ma za sobą dwóch z trzech uczestników.

„Kutas walnął do nas z dubeltówki, uwierzysz? Z jebanej dubeltówki".

Jednego z domniemanych braci zostawili zabitego albo konającego na podłodze lombardu.

Zostawili także jebane pieniądze.

Rozdział siódmy

Nie powinien mieć tej forsy. Nie powinien w ogóle brać w tym udziału. Powinien, do cholery, być w robocie i kręcić kółka i podwójne ósemki po asfalcie. Jimmie, jego agent, miał dla niego pewnie wiele propozycji. Nie wspominając o scenie, w której winien teraz występować. Poszczególne sekwencje nie miały dla niego większego sensu, ale tak było zawsze. Nigdy nie zaglądał do scenariuszy; niczym sesyjny muzyk pracował na podstawie zestawu akordów. Podejrzewał, że sekwencje nie miałyby większego sensu i dla widzów, gdyby się nad nimi kiedykolwiek zastanowili. Ale tyle ich oglądali. A on musiał tylko zameldować się, zrobić to, czego od niego chcieli — „wykonać usługę", jak ujmował to Jimmie. Co robił zawsze. Śpiewająco.

W scenie występował Włoch z pomarszczonym czołem i brodawkami. Kierowca nie chodził zbyt często do kina i nie pamiętał jego nazwiska, ale już kilka razy wcześniej z nim pracował. Facet przywoził zawsze swój ekspres do kawy i łykał przez cały dzień espresso niczym krople na kaszel. Czasami pojawiała się jego matka, którą oprowadzano po planie jak królową.

To właśnie miał robić.

Ale był tutaj.

Skok zaplanowano na dziewiątą rano, tuż po otwarciu. Wydawało się, że to było wieki temu. Cztery osoby w zespole. Macher — Przybysz — który to wszystko namotał, inżynier i kierownik planu. Świeży mięśniak z Houston, niejaki Dave Strong. Służył podobno w rangersach podczas wojny w Zatoce. Dziewczyna, Blanche. No i on za kierownicą. Wyjechali z LA o północy. Plan był dość prosty: Blanche przygotuje teren i zwróci na siebie uwagę, kiedy do środka wejdą Macher i Strong.

Kierowca wybrał się trzy dni wcześniej za miasto, żeby zorganizować brykę. Zawsze sam wybierał samochód. Auta nie były kradzione, kradzione auto to pierwszy błąd, jaki popełniają ludzie, zarówno zawodowcy, jak i amatorzy. Zamiast tego kupował je w małych komisach. Szukało się czegoś nierzucającego się w oczy, zlewającego się z otoczeniem. Ale jednocześnie auta, które w razie czego mogło stanąć dęba i skrzesać iskry kopytami. Osobiście preferował stare buicki, średniej klasy, w kolorze szarym albo brązowym, ale nie upierał się przy tej marce. Tym razem znalazł dziesięcioletniego dodge'a. Można było nim wjechać w czołg, nic by się nie stało. Rzucać w niego kowadłami, odbiłyby się. Ale kiedy zapalił silnik, miał wrażenie, że to cudo odkaszlnęło, szykując się, by przemówić.

— Ma pan do niego tylne siedzenie? — zapytał sprzedawcę, który pojechał z nim na jazdę próbną. Nie trzeba było forsować tego auta, należało po prostu pozwolić mu jechać, zobaczyć, jak sobie radzi. Patrzeć i wyczuwać, jak bierze zakręty, ustalić, czy środek ciężkości nie zmienia się, kiedy dodaje się gazu, zwalnia, zmienia pas i wyprzedza. A przede wszystkim słuchać. Pierwszą rzeczą, którą zrobił, było zgaszenie radia. Później kilka razy musiał uciszać sprzedawcę. Może trochę za duże luzy w skrzyni biegów. Trzeba było podregulować sprzęgło. I auto ściągało w prawo. Ale poza tym było akurat takie, jakiego mógł się spodziewać. Kiedy wrócili na parking, wpełzł pod spód, żeby sprawdzić, czy podwozie, osie i cięgna są w dobrym stanie. A potem zapytał o tylne siedzenie.

— Znajdziemy panu.

Zapłacił facetowi gotówką i pojechał do jednego z kilku warsztatów, z których korzystał. Dali mu tam nowe opony, oleje i smary, nowe paski i przewody, podrasowali, po czym odstawili na bok, gdzie miał czekać, aż Kierowca odbierze go przed robotą.

Nazajutrz zaczynał o szóstej rano, co w Hollywood oznaczało, że powinien pojawić się koło ósmej. Kierownik drugiej ekipy nalegał, żeby kręcić od razu (to zrozumiałe, za to mu płacili), ale Kierowca chciał przejechać się na próbę. Wózek, który mu dali, to biało-niebieski chevrolet z 1958 roku. Wyglądał jak wisienka, ale prowadziło się go jak cholerne mango. Za pierwszym podejściem minął o pół jarda ostatni znak.

Może być, powiedział kierownik drugiej ekipy.

Dla mnie nie, odparł Kierowca.

O co ci chodzi, człowieku? To tylko dziewięćdziesiąt sekund w filmie, który trwa dwie godziny, odpalił facet z drugiej ekipy. Było w porządku!

Jest wielu innych kierowców, powiedział mu Kierowca. Zadzwoń do nich.

Drugie podejście poszło śpiewająco. Kierowca dał sobie trochę więcej czasu, odpowiednio się rozpędził, wskoczył na rampę, przejechał na dwóch kołach alejką, opadł z powrotem na cztery i zawrócił poślizgiem o sto osiemdziesiąt stopni. Rampę mieli skasować w montażu, alejka miała wyglądać na dłuższą niż w rzeczywistości.

Ekipa nagrodziła go brawami.

Tego dnia miał jeszcze jedną scenę, prostą jazdę pod prąd na autostradzie. Kiedy ekipa skończyła przygotowywać ujęcie, co zawsze jest najbardziej skomplikowane, dochodziła druga po południu. Udało mu się za pierwszym razem. Było dwadzieścia trzy po drugiej i miał resztę dnia dla siebie.

Wybrał się na podwójny seans meksykańskich filmów przy Pico Boulevard, wysączył powoli dwa piwa w pobliskim barze, prowadząc grzeczną rozmowę z facetem na sąsiednim stołku, po czym zjadł obiad w salwadorskiej restauracji niedaleko swojego aktualnego miejsca zamieszkania: ryż z krewetkami i kawałkami kurczaka, grube tortille z zielonym dipem z fasoli, krojone ogórki i rzodkiewki.

W ten sposób spędził jakoś większą część wieczoru, co starał się robić, kiedy nie pracował w jednej ani drugiej branży. Ale nawet po kąpieli i szklaneczce szkockiej nie mógł zasnąć.

Wiedział, że jest coś, na co powinien zwrócić uwagę.

Życie przez cały czas wysyła nam sygnały — a potem siedzi na tyłku i zaśmiewa się, widząc, że nie potrafimy ich odczytać.

Dlatego patrząc o trzeciej w nocy na rampę załadowczą po drugiej stronie ulicy, Kierowca ma nieodparte wrażenie, że ekipa, która wynosi towar z magazynu i ładuje go do różnych furgonetek, nie może być legalna. Poza tym jednym miejscem nic się nie dzieje, nie ma żadnego szefa ani oświetlenia i faceci pracują w żwawym, wcale niezwiązkowym tempie.

Zastanawia się, czy nie wezwać policji i nie zobaczyć, jak to wszystko się potoczy, popatrzeć, jak sytuacja staje się znacznie ciekawsza. Ale nie robi tego.

Koło piątej włożył dżinsy i stary sweter i poszedł na śniadanie do Greka.

⊙ ⊙ ⊙

Kiedy robota idzie źle, czasami zaczyna się to tak subtelnie, że trudno zauważyć. Innym razem wszystko sypie się jak kostki domina.

To było coś pośredniego.

Siedząc w dodge'u i udając, że czyta gazetę, Kierowca patrzył, jak pozostali wchodzą do środka. Przed drzwiami stała mała kolejka oczekujących, pięć albo sześć osób. Widział ich wszystkich przez żaluzje. Blanche gawędziła ze stojącym tuż za drzwiami strażnikiem, odgarniając włosy z twarzy. Pozostali dwaj rozglądali się, gotowi w każdej chwili wyciągnąć broń. Wszyscy na razie uśmiechnięci.

Kierowca widział również:

Staruszka, który z trudem łapał oddech, siedząc na niskim ceglanym murku naprzeciwko sklepu, z kolanami sterczącymi jak u pasikonika.

Dwóch może dwunastoletnich dzieciaków, jeżdżących na deskorolkach po drugiej stronie ulicy.

Grupkę odzianych w garnitury ludzi z teczkami i torbami, zmierzających do pracy i już teraz sprawiających wrażenie zmęczonych.

Atrakcyjną, elegancką, mniej więcej czterdziestoletnią kobietę prowadzącą na smyczy boksera, z którego pyska zwisały z obu stron nitki gęstej śliny.

Muskularnego Latynosa wyładowującego skrzynki z warzywami z zaparkowanego w drugim rzędzie pick-upa i wnoszącego je do bliskowschodniej restauracji trochę dalej wzdłuż ulicy.

Chevroleta stojącego w wąskiej alejce trzy sklepy dalej.

To ostatnie sprawiło, że się wzdrygnął. Miał wrażenie, że spojrzał w lustro. Stojący tam samochód, siedzący w środku kierowca, który wodził oczyma w lewo i w prawo, w górę i w dół. I w ogóle tu nie pasował. Nie było absolutnie żadnego powodu, żeby ten chevrolet stał tam, gdzie stał.

A potem jego uwagę przykuło nagłe zamieszanie w środku — wszystko działo się szybko, dopiero później sobie to poskładał — i zobaczył, jak facet zapewniający wsparcie, Strong, obraca się do Blanche i porusza wargami. Zobaczył też, że ona wyciąga broń i strzela, Strong pada, a potem ona osuwa się na podłogę, jakby ją też ktoś postrzelił. Macher, facet, który to wszystko namotał, zaczął strzelać w jej kierunku. Wciąż się zastanawiał, co się tu, kurwa, dzieje, kiedy Blanche podbiegła z torbą z pieniędzmi i cisnęła ją na nową tylną kanapę.

Jedź!

I pojechał, wciskając jednocześnie gaz i hamulec, żeby prześlizgnąć się między furgonetką FedExu i volvem z tablicą rejestracyjną *Urthship2* i kilkudziesięcioma laleczkami na półce pod tylną szybą, nie dziwiąc się wcale, że chevrolet rusza w ślad za nim, i widząc, jak *Urthship2* wjeżdża w kosze na śmieci przy sklepie z używanymi książkami i płytami.

Powietrze mogło tam być za rzadkie dla *Urthship2*, tubylcy nowego świata wrogo nastawieni.

Chevrolet jechał za nimi bardzo długo — facet był całkiem dobry — podczas gdy siedząca obok Kierowcy Blanche wyciągała garściami pieniądze ze sportowej torby, potrząsała głową i powtarzała: „Cholera! Cholera jasna!".

45

Uratowały ich przedmieścia, tak jak uratowały wcześniej wielu innych przed zgubnym wpływem miasta. Dotarłszy do osiedla, które wypatrzył wcześniej, Kierowca wdepnął kilka razy hamulec, dzięki czemu dojeżdżając do fotoradaru, miał na liczniku dwadzieścia pięć mil. Facet w chevrolecie, nie znając terenu i nie chcąc ich zgubić, nie przyhamował. Kierowca widział we wstecznym lusterku, jak zatrzymują go miejscowi gliniarze. Radiowóz stanął ukośnie za nim, policjant na motocyklu przed nim. Będą o tym przez kilka tygodni opowiadać na komisariacie.

— Cholera! — zaklęła obok niego Blanche. — Jest tu o wiele więcej pieniędzy, niż powinno być. Prawie ćwierć miliona dolarów. Cholera jasna!

Rozdział ósmy

Jako szczeniak, zaraz po przyjeździe do miasta, kręcił się przy wytwórniach filmowych. Kręcili się tam i inni, w różnym wieku i różnie wyglądający. Jego nie interesowały jednak gwiazdy w limuzynach ani rozbijający się mercedesami i beemkami aktorzy drugoplanowi, lecz faceci, którzy jeździli harleyami, sportowymi brykami i pick-upami z podwyższonym zawieszeniem. Jak zwykle nie odzywał się zbyt wiele i nie wyrywał do przodu, trzymał ucho przy ziemi. Cichociemny. Wkrótce dowiedział się o odwiedzanym przez tych facetów barze i grillu w zapuszczonej części starego Hollywood i zaczął się kręcić w tamtej okolicy. Gdzieś w połowie drugiego tygodnia, o drugiej albo trzeciej po południu, zobaczył Shannona, który sadowił się w końcu baru. Zanim zdążył usiąść, barman przywitał go po imieniu i postawił przed nim piwo i drinka.

Shannon miał imię, którego nikt nie używał. Pojawiało się w napisach po filmie, na samym końcu i nigdzie indziej. Wszyscy mówili, że pochodzi z Południa, z górzystego kraju. Szkocko--irlandzkie pochodzenie wielu z tych górali można było poznać po rysach twarzy, cerze i głosie. Najbardziej przypominał jednak typowego buraka z Alabamy.

Był najlepszym kierowcą kaskaderem w tej branży.

— Polewaj dalej — powiedział barmanowi, wychyliwszy piwo i drinka.

— Nie musisz mi tego mówić.

Zanim Kierowca ośmielił się do niego podejść, Shannon wypił na pusty żołądek trzy kufle i tyle samo szklaneczek bourbona. Widząc stojącego przed nim Kierowcę, znieruchomiał z czwartą uniesioną do ust.

— Mogę ci w czymś pomóc, dzieciaku?

Dzieciak był niewiele starszy (tak mu się zdawało) od tych, które jechały teraz do domów autobusami, samochodami i limuzynami.

— Pomyślałem sobie, że może postawię panu kilka drinków.

— Naprawdę? Tak pomyślałeś? — Shannon wypił duszkiem bourbona i postawił delikatnie szklaneczkę na blacie. — Masz zdarte podeszwy butów i ubranie w niewiele lepszym stanie. Założę się, że w tym cholernym plecaku trzymasz prawie wszystko, co masz. Upłynęło sporo czasu, odkąd ostatnio miałeś styczność z bieżącą wodą. Poza tym od paru dni chyba nic nie jadłeś. Dobrze kombinuję?

— Tak, proszę pana.

— Mimo to chcesz mi postawić drinka.

— Tak, proszę pana.

— Widzę, że świetnie sobie poradzisz w LA — powiedział Shannon, pociągając łyk czwartego piwa i dając znak barmanowi, który natychmiast się pojawił.

— Daj temu młodemu człowiekowi to, czego będzie chciał się napić. I niech podadzą hamburgera z podwójnymi frytkami i sałatką coleslaw.

— Robi się.

Danny nagryzmolił zamówienie na karteluszku, przypiął go klamerką do obręczy i puścił do kuchni, gdzie sięgnęła po niego wysunięta ręka. Kierowca powiedział, że może być piwo.

— Czego ode mnie chcesz, chłopcze?

— Nazywam się...

— Choć pewnie trudno ci w to uwierzyć, mam w dupie to, jak się nazywasz.

— Jestem z...

— To wisi mi jeszcze bardziej.

— Niełatwa widownia.

— Widownie nie są łatwe. Taka już ich natura.

Zaraz potem pojawił się z jedzeniem Danny: w takich miejscach nigdy długo się nie czeka. Postawił talerz przed Shannonem, który wskazał podbródkiem Kierowcę.

— To dla dzieciaka. Jeśli o mnie chodzi, postaw na warcie jeszcze dwóch żołnierzyków.

Talerz został przesunięty w stronę Kierowcy, który podziękował im obu i zaczął się posilać. Bułka przesiąkła tłuszczem z hamburgera, frytki były chrupkie na zewnątrz i miękkie w środku, a coleslaw kremowy i słodki. Tym razem Shannon sączył piwo bez zbytniego pośpiechu. Bourbon czekał cierpliwie obok.

— Ile dni już tak koczujesz, chłopcze?

— Prawie cały miesiąc. Trudno zliczyć.

— To twój pierwszy porządny posiłek w tym czasie?

— Na początku miałem trochę pieniędzy, ale nie wystarczyły na długo.

— Nigdy nie starcza. W tym mieście częściej niż gdzie indziej. — Shannon pozwolił sobie na odmierzony łyk bourbona. — Jutro i pojutrze będziesz tak samo głodny, jak byłeś dziesięć minut temu. Co wtedy poczniesz? Będziesz woził turystów za te kilka dolców, które przy sobie mają, i czeki podróżne, których nie będziesz mógł spieniężyć? Może zaczniesz napadać na sklepy spożywcze? Mamy od tego zawodowców.

— Mam smykałkę do samochodów.

— No, to już coś. Dobry mechanik może zawsze znaleźć pracę. Zawsze i wszędzie.

Nie żeby tego nie potrafił, powiedział mu Kierowca. Był prawie tak samo cholernie dobry, kiedy trzeba było zajrzeć pod maskę, jak wtedy, gdy siadał za kierownicą. Ale tym, co robił najlepiej, co robił chyba lepiej od kogokolwiek innego, było prowadzenie samochodu.

Shannon dopił swojego bourbona i roześmiał się.

— Już dawno zapomniałem, jakie to uczucie — powiedział. — Kiedy człowiek jest taki przekonany o swojej wartości, taki pewny siebie. Myśli, że połknie cały świat. Naprawdę jesteś taki pewny siebie, młody?

Kierowca pokiwał głową.

— To dobrze. Bo lepiej, żebyś był, jeśli chcesz tu mieć jakieś życie, jeśli masz nadzieję przetrwać i nie zamierzasz dać się wycisnąć jak cytryna.

Shannon dopił swoje piwo, zapłacił rachunek i zapytał Kierowcę, czy chce się z nim przejechać. Racząc się z sześciopaka, który Shannon kupił u Eddiego, krążyli przez jakieś pół godziny po okolicy. W końcu Shannon przeskoczył swoim camaro przez niski krawężnik, a potem zjechał w dół po pochyłości do systemu kanałów odwadniających.

Kierowca się rozejrzał. Tak naprawdę krajobraz nie różnił się zbytnio od tego na pustyni Sonoran, gdzie uczył się jazdy w należącym do pana Smitha wiekowym pick-upie Forda. Ograniczony przez przepusty płaski teren, wózki na zakupy, worki ze śmieciami, opony i małe urządzenia nie różniły się tak bardzo od rosnących z rzadka krzaków oraz kaktusów saguaro i cholla, wokół których uczył się manewrować.

Shannon zatrzymał się i nie gasząc silnika, wysiadł z samochodu. W dłoni trzymał dwa ostatnie piwa, które zwisały z plastikowej zgrzewki.

— Masz teraz szansę, młody. Pokaż, co potrafisz.

Więc pokazał.

Potem pojechali na meksykańskie żarcie do mieszczącej się przy Sepulveda knajpy wielkości wagonu towarowego, gdzie wszyscy, kelnerka, jej pomocnik i kucharz należeli chyba do jednej rodziny. Wszyscy znali Shannona, a on, rozmawiając z nimi, posługiwał się, co Kierowca odkrył później, perfekcyjną kolokwialną hiszpańszczyzną. Na początek zamówili po szkockiej, a potem zjedli salsę z frytkami, palące *caldo* i zielone enchilady. Pod koniec posiłku, kiedy przez stół przemaszerowało kilka koktajli Pacifico, Kierowca był już kompletnie ululany.

Nazajutrz rano obudził się na kanapie u Shannona, u którego przemieszkał następne cztery miesiące. Dwa dni później dostał pierwszą robotę w dosyć standardowej scenie pościgu w tanim kryminale. Zgodnie ze scenopisem miał skręcić na rogu na dwóch kołach i opaść z powrotem na cztery — prosty, nieskomplikowany numer. Ale wchodząc w zakręt, zobaczył, co można tutaj zrobić. Podjechał bliżej do ściany i opuścił na nią te dwa wiszące w powietrzu koła. Wyglądało to, jakby odbił się od ziemi i jechał bokiem.

— Ja pierdolę — powiedział podobno kierownik drugiej ekipy. — Na litość boską, wywołajcie mi to zaraz!

Tak narodziła się legenda.

Stojący w cieniu jednej z przyczep Shannon się uśmiechał. Mój chłopak. Pracował cztery studia dalej przy wysokobudżetowym filmie i zajrzał podczas przerwy zobaczyć, jak sobie radzi młody.

Młody radził sobie świetnie. I tak sobie radził, kiedy dziesięć miesięcy później w trakcie zupełnie rutynowej roboty, numeru, który Shannon wykonywał już wcześniej setki razy, jego samochód zsunął się z krawędzi kanionu, wzdłuż którego pędził, i przy włączonych kamerach, które wszystko to rejestrowały, runął sto jardów w dół, wywinął dwa fikołki i legł, kołysząc się na dachu niczym chrabąszcz.

Rozdział dziewiąty

— Przebiegnę się na drugą stronę ulicy i kupię coś do żarcia — powiedziała Blanche. — Widziałam tam Pizza Hut i konam z głodu. Może być z salami i dodatkowym serem?

— Jasne — odparł, stojąc niedaleko drzwi, przy jednym z tych panoramicznych okien na aluminiowych szynach, które montują chyba we wszystkich motelach. Dolny lewy róg wyskoczył z ramy i czuć było powiew napływającego z zewnątrz ciepłego powietrza. Mieli pokój na drugim piętrze; tylko balkon, schody i jakieś dwadzieścia jardów parkingu dzieliło ich od autostrady międzystanowej. Sam motel miał trzy oddzielne wyjazdy. Na autostradę wjeżdżało się ze skrzyżowania za parkingiem albo dalej z ulicy.

W każdym pokoju, barze, restauracji, mieście i mieszkaniu przede wszystkim sprawdza się i zapamiętuje drogi ewakuacji.

Wcześniej, zmęczeni jazdą, czując wibracje po zbyt wielu godzinach spędzonych w samochodzie, oglądali film w telewizji, kryminał, którego akcja toczyła się w Meksyku, z aktorem, który miał swoje pięć minut, a potem pogrążyły go narkotyki, gościnne występy w takich jak ten filmach i wątpliwa sława z pierwszych stron tabloidów.

Kierowca podziwiał siłę naszej zbiorowej wyobraźni. Wszystko diabli wzięli, musieli uciekać i co takiego robią? Siedzą i oglądają film. W kilku scenach pościgów przysiągłby, że prowadził Shannon. Nie było go oczywiście widać. Ale zdecydowanie rozpoznał jego styl.

To musiała być Blanche, pomyślał, stojąc przy oknie. Inaczej nie można było wytłumaczyć obecności chevroleta na parkingu.

Ona tymczasem wyjęła z torebki szczotkę i ruszyła do łazienki.

— Co jest... — usłyszał jej głos, a potem huk wystrzału ze śrutówki.

Ominąwszy jej ciało, zobaczył w oknie mężczyznę i w tej samej chwili poślizgnął się na krwi, rozbił szklane drzwi kabiny prysznicowej i poharatał sobie rękę. Mężczyzna usiłował przeleźć przez okno, ale w tym momencie podnosił ponownie broń i obracał ją w stronę Kierowcy, który niewiele myśląc, złapał kawałek szyby i cisnął nim. Szkło trafiło faceta prosto w czoło. Z różowej rany trysnęła krew i zalała mu oczy. Facet opuścił strzelbę. Kierowca dostrzegł brzytwę przy umywalce i użył jej.

Drugi facet robił, co mógł, żeby wywalić drzwi kopniakami. To właśnie przez cały czas słyszał Kierowca, nie zdając sobie sprawy, co to za dźwięk, głuchy i dudniący. Wywalił je w tym samym momencie, kiedy Kierowca wszedł do pokoju — akurat na czas, by padł drugi strzał ze śrutówki. Miała może ze dwadzieścia cali długości i kopała jak sukinsyn: jeszcze bardziej poharatała mu rękę. Kierowca widział mięsień, kość i krew.

Nie żeby się skarżył, pamiętajcie.

Opierając się o ścianę w Motelu 6 trochę na północ za Phoenix, Kierowca obserwował sunącą ku niemu krew. Z autostrady dobiegał szum jadących pojazdów.

57

Ktoś płakał w sąsiednim pokoju. Świadom tego, że wstrzymuje oddech i nasłuchuje syren, szurania stóp za drzwiami i głosów ludzi gromadzących się na schodach i na dole na parkingu, zaczerpnął głęboko w płuca powietrza, które śmierdziało krwią, uryną, kałem, kordytem i strachem.

Neonowe światło odbijało się od skóry wysokiego bladego mężczyzny przy drzwiach.

Słyszał kapanie wody z kranu przy wannie w łazience.

I coś jeszcze, jakieś drapanie, skrobanie, a właściwie bardziej bębnienie. Zdał sobie w końcu sprawę, że to jego własna ręka, która odruchowo podrygiwała, stukała knykciami w podłogę, szorowała i bębniła w nią palcami, kiedy zwierały się mięśnie.

Wisiała uniezależniona od niego, odłączona niczym but. Kierowca próbował nią poruszyć. Bez skutku.

Będzie się tym martwił później.

Spojrzał na otwarte drzwi. Może to koniec, pomyślał. Może nikt już się nie pojawi, może jest po wszystkim. Może na razie wystarczą trzy trupy.

Rozdział dziesiąty

Po spędzonych u Shannona czterech miesiącach Kierowca odłożył dość pieniędzy, by wynająć własne mieszkanie w starym wschodnim Hollywood. Czek, którym opłacił kaucję i czynsz, był pierwszym, który wypisał w swoim życiu i jednym z ostatnich. Już wkrótce nauczył się płacić za wszystko gotówką, nie pojawiać się na ekranie radaru, zostawiać jak najmniej śladów.

— Dobry Boże, zupełnie jak na filmie z lat czterdziestych — powiedział Shannon, kiedy zobaczył jego blok. — W którym apartamencie mieszka Marlowe? — Z tą różnicą, że teraz, siedząc na podobnym do deski balkonie, słyszało się o wiele więcej hiszpańskiego niż angielskiego.

Wchodził po schodach, kiedy drzwi sąsiedniego mieszkania otworzyły się i jakaś kobieta zapytała go idealną angielszczyzną, lecz z zaśpiewem charakterystycznym dla osoby, której rodzimym językiem jest hiszpański, czy nie potrzebuje pomocy.

Widząc ją, Latynoskę mniej więcej w jego wieku, z włosami jak skrzydło kruka i lśniącymi oczyma, cholernie żałował, że nie potrzebuje pomocy. Niestety, to, co trzymał w rękach, było mniej więcej wszystkim, co miał.

— Więc może ma pan ochotę na piwo? — odparła, kiedy jej się do tego przyznał. — Pomoże panu ochłonąć po całym tym wysiłku.

— Piwa chętnie się napiję.

— To dobrze. Jestem Irina. Niech pan zajrzy, kiedy będzie pan gotów. Zostawię uchylone drzwi.

Kilka minut później wszedł do jej mieszkania, które było w zasadzie zwierciadlanym odbiciem jego własnego. W tle grała cicha muzyka w rytmie na trzy czwarte, z akordeonowymi wstawkami i powtarzającym się często słowem *corazon*. Kierowca słyszał kiedyś od pewnego muzyka jazzowego, że rytm walca najbardziej przypomina bicie ludzkiego serca. Siedząc na kanapie takiej samej jak jego, choć znacznie czystszej i bardziej wytartej, Irina oglądała serial na jednym z hiszpańskojęzycznych kanałów. Nazywali je *novellas*. Były bardzo długie.

— Piwo stoi na stole, jeśli ma pan ochotę.

— Dzięki.

Siadając na kanapie obok niej, poczuł zapach perfum, zapach porannego mydła i szamponu, a także zapach jej ciała, jednocześnie subtelniejszy i solidniejszy.

— Pan tutaj nowy?

— Jestem w LA od kilku miesięcy. Do tej pory mieszkałem u znajomego.

— Skąd pan pochodzi?

— Z Tucson.

— Mam tam paru wujków z rodzinami — powiedziała i zaskoczyło go to, bo spodziewał się typowych komentarzy o kowbojach. — W South Tucson. Chyba tak się nazywa? Nie widziałam ich od lat...

— To zupełnie inny świat, South Tucson.

— Niż LA, prawda?

Dla niego. W o ile większym stopniu dla niej?

Albo dla tego dziecka, które wytoczyło się śpiące z sypialni?

— To pani? — spytał.

— Nie, dostałam razem z mieszkaniem. Roi się tu od karaluchów i dzieci. Lepiej, żeby pan zajrzał do szafy, sprawdził pod blatem w kuchni. — Wstała i wzięła dziecko na rękę. — To Benicio.

— Mam cztery lata — oświadczył chłopiec.

— I kłopoty z zaśnięciem.

— A ile ty masz lat? — zapytał Benicio.

— Trafne pytanie. Może zadzwonię do mojej mamy i ją o to zapytam.

— A tymczasem — powiedziała Irina do chłopca — pójdziemy do kuchni i damy ci ciastko i szklankę mleka.

Po kilku minutach wrócili.

— No i? — zapytał Benicio.

— Niestety dwadzieścia — poinformował go Kierowca. Nie miał tyle, ale ludziom mówił, że ma.

— Jesteś stary — odparł zgodnie z oczekiwaniami Benicio.

— Przykro mi. Mimo to może zostaniemy przyjaciółmi?

— Może.

— Pańska matka żyje? — zapytała Irina, kiedy ułożyła z powrotem małego do snu.

Łatwiej powiedzieć, że nie, niż wszystko tłumaczyć.

Odparła, że jej przykro, i chwilę później zapytała, jak zarabia na życie.

— Pani pierwsza.

— Tu, na tej ziemi obiecanej? Trzygwiazdkowa kariera. Od poniedziałku do piątku pracuję jako kelnerka w salwadorskiej restauracji na Broadwayu za minimalną płacę plus napiwki... napiwki od ludzi, którzy są niewiele bogatsi ode mnie. Przez trzy wieczory w tygodniu pracuję jako pokojówka w domach i mieszkaniach w Brentwood. W weekendy sprzątam biurowce. Teraz pana kolej.

— Pracuję w branży filmowej.

— No jasne.

— Jestem kierowcą.

— Jeździ pan limuzynami?

— Kierowcą kaskaderem.

— Ma pan na myśli te wszystkie pościgi i tak dalej?

— To ja.

— Kurczę. Muszą panu za to nieźle bulić.

— Niekoniecznie. Ale to stała robota.

Kierowca opowiedział, jak wziął go pod swoje skrzydła Shannon, jak nauczył go tego, co trzeba było wiedzieć, i nagrał pierwsze zlecenia.

— Ma pan szczęście, że pojawił się w pana życiu ktoś taki. W moim nigdy się nie pojawił.

— A ojciec Benicia?

— Byliśmy małżeństwem przez mniej więcej dziesięć minut. Nazywa się Standard Guzman. „Czy jest tu gdzieś Guzman w wersji luksusowej?", zapytałam go, kiedy się poznaliśmy, a on po prostu na mnie spojrzał, w ogóle nie załapał.

— Co robi?

— Ostatnio zajął się działalnością charytatywną, zapewnia robotę pracownikom państwowym.

Kierowca nie zrozumiał.

— Siedzi — wyjaśniła, widząc jego minę.

— W więzieniu?

— To właśnie miałam na myśli.

— Od jak dawna?

— Wyjdzie w przyszłym miesiącu.

W telewizji, pod majaczącymi, na pół obnażonymi piersiami jasnowłosej asystentki, korpulentny śniady facet w srebrzystym surducie z lamy wykonywał magiczne sztuczki. Kule pojawiały się i znikały między odwróconymi filiżankami, karty wyskakiwały z talii, gołębie wyfruwały ze stalowych czaszy.

— Jest złodziejem... zawodowcem, ciągle mi to powtarza. Kiedy miał czternaście, piętnaście lat, zaczął włamywać się do domów, od tego czasu znacznie się rozwinął. Złapali go, kiedy obrabiał kasę oszczędnościowo-pożyczkową. W trakcie napadu weszło tam kilku miejscowych gliniarzy. Chcieli przelać na konta swoje pensje.

Standard rzeczywiście wyszedł miesiąc później. I mimo zarzekania się Iriny, że to absolutnie nie wchodzi w grę, za żadne skarby nie może się zdarzyć, wrócił do domu i zapuścił tam korzenie. (Co mu mam powiedzieć? — tłumaczyła się. — Kocha małego. Gdzie indziej ma się podziać?). Ona i Kierowca zdążyli się do siebie zbliżyć, ale to wcale nie przeszkadzało Standardowi. Wieczorami, kiedy Irina i Benicio dawno już poszli spać, Kierowca i Standard siedzieli w salonie i oglądali telewizję. Dużo starych dobrych rzeczy, które można zobaczyć tylko o tej porze, późnym wieczorem.

I pewnego razu gdzieś koło pierwszej w nocy we wtorek, a właściwie w środę, siedzieli tam i oglądali policyjny film *Glass ceiling*.

— Rina powiedziała, że pracujesz jako kierowca.

W branży filmowej? — zapytał Standard, kiedy zaczęły się reklamy.

— Zgadza się.

— Musisz być niezły.

— Jakoś sobie radzę.

— Nie musisz przynajmniej zasuwać od dziewiątej do piątej.

— To jedna z korzyści.

— Masz coś jutro do roboty? To znaczy chyba już dzisiaj?

— Nie mam niczego w planie.

Przedarłszy się przez gąszcz reklam mebli, sklepów z pościelą, zniżkowych ubezpieczeń, dwudziestoczęściowych zestawów garnków i wideokaset przedstawiających wielkie chwile amerykańskiej historii, film zaczął się ponownie.

— Mogę chyba z tobą mówić otwarcie — powiedział Standard.

Kierowca kiwnął głową.

— Rina ci ufa, ja chyba też mogę. Chcesz jeszcze piwa?

— Zawsze.

Standard poszedł do kuchni i przyniósł dwa. Odkapslował jedno i podał mu.

— Wiesz, czym się zajmuję, prawda?

— Mniej więcej.

Standard otworzył swoje piwo i pociągnął łyk.

— No dobrze. Więc sprawa wygląda następująco. Mam dziś robotę, coś, co czekało bardzo długo. Ale mój kierowca został... no... przyskrzynili go.

— Jak tego faceta — powiedział Kierowca, wskazując głową telewizor; na ekranie akurat przesłuchiwano podejrzanego. Przednie nogi krzesła, na którym siedział, były skrócone, żeby facetowi było maksymalnie niewygodnie.

— Całkiem możliwe. Zastanawiam się, czy mógłbyś go ewentualnie zastąpić?

— Za kierownicą?

— Zgadza się. Wyjeżdżamy wczesnym rankiem. To...

Kierowca podniósł rękę.

— Nie muszę i nie chcę tego wiedzieć. Będę prowadził samochód. I na tym koniec.

— W porządku.

Po trzech albo czterech minutach filmu znowu

wepchnęły się reklamy. Cudowna patelnia grillowa. Tablice pamiątkowe. Największe hity.

— Mówiłem ci kiedyś, jak bardzo przywiązani są do ciebie Rina i Benicio?

— Mówiłem ci kiedyś, jakim jesteś dupkiem?

— Nie — odparł Standard. — Ale nie szkodzi, mówią mi to wszyscy.

Obaj się roześmiali.

Rozdział jedenasty

Na tym pierwszym skoku Kierowca zarobił na czysto prawie trzy tysiące.

— Masz coś? — zapytał nazajutrz Jimmiego, swojego agenta.

— Było kilka telefonów.

— Masz na myśli otwarty nabór?

— Zgadza się.

— I za to płacę ci piętnaście procent?

— Witaj na ziemi obiecanej.

— Szarańcza i tak dalej...

Pod koniec dnia miał nagrane dwie roboty. Mówiło się o nim, zakomunikował mu Jimmie. Nie tylko, że jest dobrym kierowcą, w mieście było pełno ludzi, którzy umieli jeździć, ale że zawsze będzie tam, gdzie jest potrzebny, nigdy nie będzie patrzył na zegarek, nigdy nie będzie grymasił, zawsze zrobi to, co do niego należy. Kiedy przekonają się, że jesteś zawodowcem, a nie jakimś dupkiem albo gnojem, który chce się wybić, powiedział Jimmie, będą się o ciebie zabijać.

Pierwsze zdjęcia miały być dopiero w następnym tygodniu, więc Kierowca postanowił wybrać się z wizytą do Tucson. Nie widział się ze swoją mamą od czasu, kiedy przed laty zabrali ją z fotela. W zasadzie był wtedy jeszcze dzieckiem.

Dlaczego akurat teraz? Za cholerę nie wiedział.

Podczas jazdy krajobraz wokół niego kilka razy konwulsyjnie się zmienił. Na początek kręte uliczki starego centrum LA, które ustąpiły miejsca chaotycznej sieci miast satelitów i przedmieść, potem przez dłuższy czas nic poza autostradą. Stacje benzynowe, restauracje Denny's, Del Tacos, outlet, złomowiska. Drzewa, mury i płoty. W tym czasie zamienił już galaxie na zabytkowego chevroleta z maską, na której mogły lądować samoloty, i tylną kanapą dość dużą, by mogła tam zamieszkać niewielka rodzina.

Zatrzymał się na śniadanie w Union 76 i przyglądał

się kierowcom ciężarówek siedzącym w wydzielonej części sali nad talerzami ze stekami i sadzonymi jajkami, rostbefem, klopsami, pieczonymi kurczakami i stekami z kurczaka. Wspaniałe amerykańskie przydrożne żarcie. Kierowcy jako ostateczne ucieleśnienie wiecznego amerykańskiego marzenia o wolności absolutnej, o ciągłym zdobywaniu nowych terytoriów.

Budynek, przed którym zaparkował chevroleta, wyglądał i śmierdział niczym przybudówki, w których odbywały się zajęcia szkółki niedzielnej, kiedy był dzieckiem. Najtańsze materiały budowlane, białe ściany, gołe betonowe podłogi.

— Pan do kogo?

— Sandra Daley.

Recepcjonistka wbiła wzrok w ekran komputera. Jej palce tańczyły zwinnie po zużytej klawiaturze.

— Nie mogę... a tak, zgadza się. Pan jest...?

— Jej synem.

Kobieta podniosła słuchawkę telefonu.

— Mógłby pan tam usiąść? Zaraz ktoś do pana podejdzie.

Po kilku minutach zamknięte na klucz drzwi otworzyły się i wyszła przez nie młoda Euroazjatka

w dżinsach i wykrochmalonym fartuchu laboratoryj-
nym. Niskie drewniane obcasy stukały o betonową
podłogę.

— Przyszedł pan z wizytą do pani Daley?

Kierowca skinął głową.

— Jest pan jej synem?

Ponowne skinięcie głową.

— Przepraszam. Niech pan nam wybaczy środki
ostrożności, ale z akt wynika, że przez wszystkie te
lata nikt nie odwiedził pani Daley. Mogłabym zobaczyć jakiś pana dowód tożsamości?

Kierowca pokazał jej swoje prawo jazdy. W tamtym
okresie miał jeszcze takie, które nie było dwa albo
trzy razy podrabiane.

Migdałowe oczy zlustrowały dane.

— Jeszcze raz przepraszam — powiedziała kobieta.

— Nie ma sprawy.

Brwi nad migdałowymi oczyma były naturalne
i proste, prawie niewygięte w łuk, lekko zmierzwione.
Zawsze dziwiło go, po co Latynoski wyskubują sobie
swoje, zostawiając cienkie substytuty. Żeby odmienić
siebie czy świat?

— Z przykrością muszę pana zawiadomić, że pańska matka zmarła w zeszłym tygodniu. Mieliśmy wiele innych problemów, ale bezpośrednią przyczyną był rozległy zawał serca. Pielęgniarka dyżurna zauważyła zmiany kliniczne; w ciągu godziny podłączyliśmy ją do respiratora. Ale wtedy było już za późno. Tak się często dzieje.

Kobieta dotknęła jego ramienia.

— Przykro mi. Zrobiliśmy, co w naszej mocy, żeby się z panem skontaktować. Niestety, wszelkie numery kontaktowe były już od dawna nieaktualne. — Jej oczy omiotły jego twarz, szukając jakichś wskazówek. — Obawiam się, że nic, co powiem, nie jest w stanie pomóc.

— Nie ma sprawy, pani doktor.

Wychowana w językach tonalnych usłyszała lekkie podniesienie melodii przy końcu zdania. On nie zdawał sobie nawet z niego sprawy.

— Park — powiedziała. — Doktor Park. Amy.

Oboje się odwrócili, by popatrzeć na toczący się korytarzem wózek. Barka na rzece. *Afrykańska królowa*. Pielęgniarka siedząca okrakiem na pacjentce robiła jej masaż serca.

— Cholera! — zawołała. — Właśnie poczułam, jak pęka żebro.

— Prawie jej nie znałem. Myślałem po prostu...

— Naprawdę muszę już iść.

Na parkingu oparł się o chevroleta i popatrzył na otaczające Tucson pasma gór. Catalinas na północy, Santa Rita na południu, Rincon na wschodzie, Tucson na zachodzie. Całe miasto było jak kompas. Jak ktoś mógł się tutaj tak beznadziejnie zagubić?

Rozdział dwunasty

Drugi i trzeci skok z mężem Iriny też się powiodły. Leżąca w szafie pod butami i brudnymi ciuchami sportowa torba Kierowcy przybrała na wadze. A potem kolejny skok. Zaczęło się dobrze. Wszystko szło jak po maśle, zgodnie z planem. Mieli obrobić obskurny lokalny kantor oferujący tanie wypłaty gotówkowe. Mieścił się przy końcu handlowej uliczki, obok opuszczonego kina z wciąż wiszącymi za szkłem afiszami zdubbingowanych filmów science fiction i zagranicznych kryminałów, w których znaleźli zatrudnienie bezrobotni amerykańscy aktorzy. Naprzeciwko był kantor o godzinach otwarcia tak zmiennych, że nie chciało im się nawet ich wywieszać. Prawdziwe interesy robiło się na zapleczu. W okolicy unosiły się zapachy czosnku, kminku, kolendry i cytryny z pobliskiego kebabu.

Weszli o dziewiątej, zaraz po otwarciu. Metalowe żaluzje poszły w górę, otwarto drzwi. W środku tylko najemni pracownicy, zarabiający minimalną pensję, niezamierzający stawiać oporu i mający generalnie wszystko w dupie. Szef nigdy nie zjawiał się przed dziesiątą. O tej porze dnia, nawet gdyby włączyli alarm, policję na pewno wstrzymałyby poranne korki.

Niestety, gliniarze obserwowali właśnie lombard i jeden z nich, śmiertelnie znudzony, spojrzał przypadkiem na Check-R-Cash, kiedy wchodziła tam ekipa Standarda. Miał słabość do wysokiej Latynoski, która urzędowała w kasie.

— Cholera jasna!

— Co jest, już cię nie kocha?

Powiedział im.

— Więc co robimy? — Nie było to w ogóle to, na co czekali.

DeNoux był najstarszy stopniem i do niego należała decyzja. Przejechał dłonią po przystrzyżonych krótko włosach.

— Macie tak samo jak ja dosyć siedzenia tutaj na dupie, chłopaki? — zapytał.

Dosyć jedzenia gówna? Smażenia się przez cały dzień w furgonetce? Szczania do butelek? Dlaczego mieliby mieć dosyć?

— Rozumiem. Chuj z tym. Wchodzimy.

Kierowca widział, jak komandosi wyskakują z tyłu furgonetki i wpadają do Check-R-Cash. Wiedząc, że ich uwaga skierowana jest w inną stronę, wyjechał zza pojemnika na śmieci. Zostawiając silnik na chodzie, wysiadł i przebił opony furgonetki, co zajęło mu tylko chwilę. Następnie podjechał pod sam kantor, w którym trwała strzelanina. Trzech weszło do środka.

Dwóch wybiegło i siadło z tyłu, a on zwolnił sprzęgło, wcisnął gaz do dechy i pomknął przez parking. Jeden z tych, którzy wyszli, był śmiertelnie ranny.

Ale nie było wśród nich Standarda.

Rozdział trzynasty

— Jadłeś wieprzowinę z juką?

— Dopiero jakieś dwadzieścia razy. Fajna kamizelka! Nowa?

— Wszyscy sądzą, że są dowcipni.

Nawet tak wcześnie, kilka minut przed szóstą, u Gustava było pełno. Manny zmrużył oczy, kiedy Anselmo postawił przed nim piwo Modelo. Kiedy wychodził ze swojej jaskini, zawsze raziło go światło.

— *Gracias.*

— Jak idzie pisanie?

— Człowieku, jesteśmy tacy sami. Siedzimy przez cały dzień na tyłku, zmierzając ku katastrofie. Kiedy samochód albo scenariusz wypada z trasy, zaczynamy od nowa. — Manny wychylił kilkoma łykami piwo. —

Dosyć tego gówna. Napijmy się czegoś dobrego — powiedział, wyciągając butelkę z plecaka. — Nowe, z Argentyny. Ze szczepu Malbec.

Pojawił się Anselmo z kieliszkami do wina. Manny nalał i przesunął jeden z kieliszków w stronę Kierowcy. Obaj umoczyli wargi.

— Nie mam racji? — zapytał Manny i upił kolejny łyk. — Owszem, mam rację. — Ściskając kieliszek niczym boję, rozejrzał się wokół siebie. — Czy kiedykolwiek sądziłeś, że tak będzie wyglądało twoje życie? Nie żebym, kurwa, wiedział coś o twoim życiu.

— Nie wiem, czy się kiedyś nad tym zastanawiałem.

Manny podniósł swój kieliszek i przyglądał się przez chwilę powierzchni ciemnej cieczy, przechylając go, jakby chciał naprostować świat.

— Zamierzałem być następnym wielkim amerykańskim pisarzem. Nie miałem co do tego wątpliwości. Opublikowałem od chuja opowiadań w magazynach literackich. A potem wyszła moja pierwsza powieść i okazało się, że rację mają ci, którzy wierzą w teorię płaskiej ziemi: spadła z krawędzi świata. Druga nie miała nawet dość energii, żeby pisnąć, kiedy wychodziła. A jak to u ciebie wyglądało?

— Przeważnie próbowałem po prostu dotrwać od poniedziałku do środy. Wyrwać się z mojego poddasza, wyrwać się spod ziemi, wyrwać się z miasta.

— Sporo tego wyrywania.

— Takie jest zwyczajne życie.

— Nienawidzę zwyczajnego życia.

— Nienawidzisz wszystkiego.

— Robię wyjątki, mój panie. To wulgarne uproszczenie. Choć niewykluczone, że budzą we mnie wstręt takie sprawy, jak: amerykański system polityczny, hollywoodzkie kino, nowojorskie publikacje, naszych ostatnich sześciu prezydentów, wszystkie filmy zrobione w ciągu ostatnich dziesięciu lat z wyjątkiem tych, które nakręcili bracia Cohenowie, gazety, gadające radio, amerykańskie samochody, przemysł muzyczny, szaleństwo mediów, najnowsza moda...

— Niezły katalog.

— ...to jednak wiele rzeczy w życiu darzę głębokim uznaniem graniczącym z szacunkiem. Na przykład tę butelkę wina. Pogodę w LA. Albo jedzenie, które nam podadzą. — Manny napełnił ponownie kieliszki. — Masz stałą pracę?

— Na ogół.

— To dobrze. Branża filmowa nie jest więc totalnym nieporozumieniem. W przeciwieństwie do wielu dzisiejszych rodziców zabezpiecza przynajmniej potomstwo.

— Niekiedy.

Jedzenie okazało się zgodne z tym, co zapamiętali i czego się spodziewali. Kontynuowali wieczór w pobliskim barze, gdzie Kierowca zamówił piwo, a Manny brandy. Do środka zajrzał tam ze swoim poobijanym akordeonem staruszek mówiący słabo po angielsku i grał tanga i piosenki ze swojej młodości, piosenki o miłości i wojnie. Goście stawiali mu drinki i wrzucali banknoty do futerału, a jemu łzy płynęły po policzkach.

O dziewiątej mowa Manny'ego stała się bełkotliwa.

— To tyle, jeśli chodzi o mój wspaniały wypad na miasto. Kiedyś mogłem balować całą noc.

— Mogę cię odwieźć do domu.

— Oczywiście, że możesz. Pozwól, że powiem to tutaj — powiedział Manny, kiedy zatrzymali się na uliczce nieopodal jego bungalowu. — W przyszłym tygodniu muszę być w Nowym Jorku. A nie latam.

— Nie latasz? Ty ledwie pełzasz.

Kierowcy chyba też alkohol zaszumiał w głowie.

— Nie będę polemizował — podjął Manny. — Zastanawiałem się, czy nie mógłbyś mnie podwieźć. Płacę najwyższe stawki.

— Nie bardzo widzę, jak mógłbym cię podwieźć. Mam zaplanowane zdjęcia. Ale nawet gdybym mógł, nie ma mowy, żebym wziął od ciebie pieniądze.

Manny wygramolił się z samochodu i nachylił do okna.

— Po prostu miej to na względzie, dobrze?

— Oczywiście. Czemu nie? Trochę się prześpij, przyjacielu.

Dziesięć przecznic dalej w jego wstecznym lusterku pojawił się radiowóz. Pamiętając, żeby nie przekraczać dozwolonej szybkości i włączać odpowiednio wcześniej kierunkowskazy, Kierowca wjechał na parking przy knajpie Denny'ego i stanął przodem do ulicy.

Gliniarz pojechał dalej. Patrolował ulice solo. Ze spuszczoną szybą, filiżanką kawy z 7-Eleven w ręku i trzeszczącym radiem.

Kawa to był dobry pomysł.

Skoro tu już podjechał, mógł się jej napić.

Rozdział czternasty

Ze środka dobiegało beczenie śmiertelnie rannego saksofonu. Wyobrażenia Doktora na temat muzyki różniły się od wyobrażeń większości ludzi.

— Minęło trochę czasu — powiedział Kierowca, kiedy drzwi się otwarły i zobaczył przed sobą nos jak purchawka i miękkie worki pod oczyma.

— Wydaje mi się, jakby to było wczoraj — odparł Doktor. — Oczywiście ja mam wrażenie, że wszystko wydarzyło się wczoraj. Jeśli w ogóle cokolwiek pamiętam.

Powiedział to i nie ruszył się z miejsca. Saksofon dalej beczał za jego plecami. Doktor zerknął przez ramię i przez chwilę Kierowcy wydawało się, że zaraz wrzaśnie, żeby się zamknął.

— Nikt już tak nie gra. — Doktor westchnął i spojrzał w dół. — Kapiesz mi na wycieraczkę.

— Nie masz wycieraczki.

— Nie... ale kiedyś miałem. Bardzo fajną, z napisem „Witajcie". I ludzie doszli do wniosku, że są naprawdę mile widziani. — Ten stłumiony dźwięk... czy to był śmiech? — Mógłbyś być krwiodawcą. Tak jak mleczarz. Ludzie wystawialiby butelki, wkładając do szyjek listę tego, czego potrzebują. Pół litra osocza, litr krwi pełnej, mały pojemnik krwinek... ja nie potrzebuję krwi, krwiodawco.

— Ale ja potrzebuję i jeszcze kilku rzeczy poza tym, jeśli wpuścisz mnie do środka.

Doktor się cofnął, drzwi otworzyły się szerzej. Kiedy się poznali, facet mieszkał w garażu. I teraz też mieszkał w garażu, tyle że większym; Kierowca musiał mu to przyznać. Doktor przez pół życia zaopatrywał Hollywood w prawie legalne narkotyki, aż w końcu zamknął praktykę i przeniósł się do Arizony. Ludzie mówili, że miał tam w Hills pałac z tyloma pokojami, że nikt, nawet sam Doktor, nigdy nie wiedział, kto gdzie mieszka. W trakcie imprez goście błąkali się po schodach i znikali na całe dnie.

— Masz ochotę? — zapytał Doktor, nalewając taniego bourbona z półgalonowej flaszki.

— Czemu nie?

Doktor dał mu pół szklanki. Zawartość była tak mętna, jakby ktoś wysmarował szkło wazeliną.

— Zdrowie — powiedział Kierowca.

— Ta ręka nie wygląda za dobrze.

— Tak sądzisz?

— Jeśli chcesz, mogę się jej przyjrzeć.

— Nie zadzwoniłem wcześniej.

— Znajdę dla ciebie okienko.

Kierowca patrzył, jak znikają pozory.

— Dobrze się znów do czegoś przydać.

Doktor zaczął się krzątać, przygotowywać sprzęt. Niektóre z narzędzi, ułożonych w równym rządku, były trochę straszne.

Pomagając Kierowcy zdjąć marynarkę, tnąc nożyczkami zakrwawioną koszulę i klejący się T-shirt, Doktor mrużył oczy i pogwizdywał, mocno fałszując.

— Wzrok już nie taki jak kiedyś. — Gdy badał klamerkami ranę, trzęsła mu się ręka. — Ale co jest takie jak kiedyś? — Uśmiechnął się. — To sprawia, że wracam myślami w przeszłość. Wszystkie te grupy mięśni. Kiedy byłem w szkole średniej, obsesyjnie czytałem *Anatomię Graya*. Taskałem ze sobą to cholerstwo jak Biblię.

— Poszedłeś w ślady ojca?

— Niezupełnie. Mój stary był w osiemdziesięciu sześciu procentach białą kluchą i w stu procentach dupkiem. Przez całe życie sprzedawał meble na kredyt rodzinom, których nie było na to stać, żeby móc je później przejąć i dalej ściągać spłaty z biedaków.

Doktor odkorkował buteleczkę betadine, wylał ją na spodeczek, znalazł opakowanie wacików, wrzucił je tam i wyjął dwoma palcami jeden.

— Matka była Peruwianką. Biorąc pod uwagę kręgi, w jakich się obracali, nie wiem, jak, do diabła, się ze sobą zetknęli. U siebie była akuszerką i *curandera*. Znachorką. Kimś ważnym w swojej społeczności. Tutaj przerobili ją na pieprzoną Donnę Reed.

— On?

— On. Społeczeństwo. Ameryka. Jej własne aspiracje. Kto to może wiedzieć?

Doktor dotknął delikatnie wacikiem rany.

Ręce przestały mu się trząść.

— Medycyna była wielką miłością mojego życia,

jedyną kobietą, której potrzebowałem i za którą się uganiałem. Ale jak mówisz, minęło już trochę czasu. Miejmy nadzieję, że coś jeszcze pamiętam.

Doktor wyszczerzył w uśmiechu żółknące zęby.

— Odpręż się — powiedział i przysunął bliżej tanią lampę biurkową. — Tak tylko się z tobą droczę.

Żarówka w lampie zamigotała, zgasła i kiedy Doktor ją stuknął, zapaliła się z powrotem.

Doktor pociągnął długi łyk i podał Kierowcy flaszkę bourbona.

— Nie sądzisz, że ta płyta jest porysowana? — zapytał. — Mam wrażenie, że od pewnego czasu kręci się w kółko.

Kierowca nadstawił uszu. Skąd miał to wiedzieć? Ta sama powtarzana bez końca fraza. Tak jakby.

Doktor wskazał podbródkiem flaszkę.

— Golnij sobie jeszcze, chłopcze. Będziesz zdaje się tego potrzebował. Pewnie obaj będziemy potrzebowali, nim to się skończy. Gotów?

Nie.

— Tak.

Rozdział piętnasty

Jak zawsze najdłużej trwało przygotowanie ujęcia. Spędzało się pięć godzin na przygotowaniach, a potem jechało półtorej minuty. Kierowcy płacono tyle samo za te pięć godzin i za te półtorej minuty. Jeśli scena była ważna, przychodził wcześniej, żeby sprawdzić samochód i wykonać jazdę próbną. W niskobudżetowym filmie robił to z samego rana w dniu zdjęć, podczas gdy reszta ekipy tłoczyła się w kolejce. Potem spędzał czas razem ze scenarzystami i drugoplanowymi aktorami, korzystając z bufetu. Nawet na planie „tyci filmów" (jak określał je Shannon) było dość żarcia, żeby wyżywić średniej wielkości miasto. Wędliny, różne sery, owoce, pizza, kanapki, malutkie hot dogi w sosie barbecue, pączki, słodkie bułeczki i herbatniki, sandwicze, jajka na twardo, chipsy, salsa, dip cebulowy, musli, soki, butelkowana woda, kawa, herbata, mleko, napoje energetyczne, ciastka i ciasteczka.

Tego dnia prowadził impalę i sekwencja miała zawierać: staranowanie dwóch pojazdów, dwukrotny obrót o sto osiemdziesiąt stopni i uderzenie bokiem. Normalnie rozbijali takie rzeczy na segmenty, ale reżyser chciał nakręcić wszystko w jednym ujęciu, w realnym czasie.

Kierowca był uciekinierem. Zjeżdżał ze wzgórza i spostrzegał blokadę, dwa radiowozy ustawione w poprzek, maskami do siebie.

W tym momencie trzeba było się niemal zatrzymać, ruszyć na niskim biegu i nadjechać z prawej, mniej więcej ćwierć szerokości samochodu od środka blokady — zupełnie jakby celowało się w puste miejsce obok pierwszego kręgla. Potem gaz do dechy i zderzenie przy szybkości od piętnastu do trzydziestu mil na godzinę.

Poszło śpiewająco. Dwa radiowozy odskoczyły od siebie, a impala przejechała między nimi z piskiem opon, w satysfakcjonujący sposób zarzucając tyłem, kiedy Kierowca wyrównał tor jazdy i dodał gazu.

Ale to nie wszystko. Z góry zasuwał trzeci radio-wóz. Widząc, co się stało, gliniarz zjechał z drogi i pomknął na przełaj, łamiąc drzewa, wyrzucając spod opon grudy ziemi i gałęzie, kilkakrotnie podskakując i opadając na cztery koła i wracając na szosę pięćdziesiąt jardów za Kierowcą.

Ten zdjął nogę z gazu, zwolnił do dwudziestu pięciu, może trzydziestu mil i przekręcił kierownicę o jakieś ćwierć obrotu. W tym samym momencie zaciągnął ręczny hamulec i wcisnął sprzęgło.

Impala zaczęła się obracać.

Kiedy pokonała dziewięćdziesiąt stopni, Kierowca zwolnił hamulec, wyrównał kierownicę, wcisnął gaz i puścił sprzęgło.

Nadjeżdżający radiowóz był teraz dokładnie przed nim.

Przyspieszywszy do trzydziestu mil i minąwszy radiowóz z boku (gliniarz z niedowierzaniem wodził za nim wzrokiem), Kierowca skręcił szybko i mocno w lewo, zredukował bieg, wcisnął gaz i wyprostował kierownicę.

Teraz był za swoim prześladowcą.

Przyspieszył i mając dokładnie dwadzieścia mil na

liczniku, walnął radiowóz kilka cali na prawo od lewego tylnego światła. Uderzony samochód wpadł w poślizg, skręcając przodem w lewo, i kiedy koła znowu złapały przyczepność, pomknął prosto przed siebie, zjeżdżając z drogi.

Ku zdziwieniu wszystkich całą scenę udało się nakręcić bez żadnych problemów już za pierwszym razem.

— Tak! — wrzasnął reżyser, kiedy obaj wysiedli ze swoich samochodów. Od strony kamerzystów, techników, widzów, gońców i gapiów dobiegły rzadkie brawa.

— Świetna robota — powiedział Kierowca, zwracając się do swojego partnera.

Jeździł już wcześniej raz czy dwa z tym facetem. Patrick Jakiśtam. Okrągła jak księżyc irlandzka gęba, źle zoperowana zajęcza warga, jasna grzywa potarganych włosów. Wbrew etnicznym stereotypom — milczek.

— I nawzajem — odparł Patrick.

⊙ ⊙ ⊙

Tamtego wieczoru kolacja w Culver City, w restauracji wypełnionej po brzegi ciężkimi meblami w stylu misyjnym, z gipsowymi tarczami i blaszanymi mieczami na ścianach, czerwonymi dywanami oraz frontowymi drzwiami podobnymi do tych, które widuje się w filmowych zamkach. Wszystko nowe i zrobione tak, żeby wyglądało na stare. Sztucznie postarzone drewniane stoły i krzesła, wytrawione kwasem belki sufitowe, pokruszona szlifierką i porysowana betonowa podłoga. Ale jedzenie mieli wspaniałe. Można by przysiąc, że w kuchni są trzy pokolenia kobiet, które wygniatają ręcznie ciasto do tortilli, kucają przy ogniu i pieką kurczaki z papryką.

Z tego, co wiedział, może rzeczywiście tam kucały. Czasami nie dawało mu to spokoju.

Kierowca wypił najpierw kilka drinków przy barze. Wszystko tu było bezwstydnie nowe, z nierdzewnej stali i polerowanego drewna, jakby chciało zadać kłam temu, co znajdowało się za wahadłowymi drzwiami. W połowie pierwszego piwa zaangażował się w dyskusję polityczną z siedzącym obok facetem.

Nie znając w ogóle najnowszych wydarzeń, domyślił się ich w trakcie rozmowy. Najwyraźniej kraj miał przystąpić do wojny. Z ust jego towarzysza bezustannie płynęły słowa takie, jak wolność, wyzwolenie i demokracja, co Kierowcy przypomniało reklamy indyków na Święto Dziękczynienia; jakie to teraz proste: wystarczy wsadzić je do piekarnika i te małe flagi wyskoczą, żeby dać znać, że indyk się upiekł. Przypomniało mu również pewnego faceta z lat jego młodości.

Każdego dnia Sammy prowadził swój zaprzężony w muła wóz, krzycząc: „Graty na sprzedaż! Graty na sprzedaż!". Jego wóz był obładowany rzeczami, których nikt nie chciał, nikt nie potrzebował. Były tam krzesła z trzema nogami, zdarte ubrania, lampy lawowe, zestawy fondue i półmiski na rybę, roczniki „National Geographic". Dzień po dniu, rok po roku, Sammy krążył po okolicy.

— Mogę się wtrącić?

Kierowca zerknął w lewo.

— Podwójna wódka, czysta — powiedział Standard barmanowi, po czym usiadł z drinkiem przy stoliku z tyłu i dał znak Kierowcy, żeby do niego dołączył.

— Ostatnio rzadko cię widywałem.

Kierowca wzruszył ramionami.

— Praca.

— Może przypadkiem jesteś jutro wolny?

— Niewykluczone.

— Mam coś nagranego. Jeden z tych kantorów wymieniających czeki na gotówkę. Daleko od utartych szlaków. Od wszelkich szlaków. Jutro przed otwarciem dostają szmal na cały tydzień i na weekend.

— Skąd to wiesz?

— Powiedzmy, że od kogoś, z kim się spotkałem. Samotnika. Wygląda na to, że możemy to załatwić w pięć, góra sześć minut. Pół godziny później siedzimy i wpieprzamy żeberka.

— W porządku — powiedział Kierowca.

— Masz brykę?

— Będę miał. Jeszcze nie wieczór.

Z jednej strony nie lubił takich spraw na ostatnią chwilę. Z drugiej miał już na oku buicka model LeSabre na sąsiednim osiedlu. Nie robił imponującego wrażenia, ale silnik grał jak marzenie.

— No więc załatwione. — Ustalili godzinę i miejsce spotkania. — Postawić ci kolację?

— Jestem otwarty na propozycje.

Obaj zamówili steki unurzane w sosie cebulowo--paprykowo-pomidorowym, czarną fasolę z ryżem i mączne tortille. Po kilku piwach zasiedli z powrotem przy barze. Telewizor był włączony, ale na szczęście nic nie było słychać. Jakaś durnowata komedia, w której aktorzy z nieskazitelnie białymi zębami wypowiadali swoje kwestie i zastygali w bezruchu, żeby można było puścić taśmę z nagranym śmiechem. Kierowca i Standard siedzieli razem w milczeniu, dwaj dumni ludzie, którzy zachowują swoje mądrości dla siebie. Nie musieli, nie potrzebowali i nie mieli ochoty ze sobą gawędzić.

— Rina nie widzi poza tobą świata — powiedział Standard po zamówieniu ostatniej kolejki. — A Benicio cię kocha.

— Oba uczucia są w pełni odwzajemnione.

— Gdyby jakiś inny facet zbliżył się tak do mojej kobiety, już dawno poderżnąłbym mu gardło.

— Ona nie jest twoją kobietą.

Podano im drinki. Standard zapłacił, zostawiając sowity napiwek. Wszędzie jakieś powiązania, pomyślał Kierowca. On utożsamia się z tymi kelnerami, zna mapę ich świata. Jest w tym jakaś czułość.

— Rina zawsze twierdziła, że zbyt mało oczekuję od życia — mówił dalej Standard.

— Przynajmniej nigdy się nie rozczarujesz.

— I o to chodzi.

Stuknąwszy się szklanką z Kierowcą, Standard wypił i ściągnął wargi w reakcji na palący smak alkoholu.

— Ale ona ma rację. Jak mogę się spodziewać czegoś więcej niż to, co przed sobą widzę? Jak może się spodziewać ktokolwiek z nas? — Dopił drinka. — Musimy już chyba iść. Trochę się odświeżyć. Jutro czeka nas ciężki dzień i tak dalej.

Na zewnątrz Standard zerknął na księżyc w pełni, na pary przy samochodach i stojących na rogu czterech lub pięciu dzieciaków w gangsterskim rynsztunku — opuszczonych nisko spodniach, za dużych bluzach i kapturach.

— Powiedzmy, że gdyby coś mi się przytrafiło...

— Powiedzmy.

— Nie będziesz miał oporów, żeby zaopiekować się Iriną i Beniciem?

— Nie... Na pewno to zrobię.

— To dobrze. — Doszli już tymczasem do swoich samochodów. Standard, co do niego niepodobne, podał mu rękę. — Do zobaczenia jutro, przyjacielu. Uważaj na siebie.

Uścisnęli sobie dłonie.

Kiedy Kierowca odpalił silnik, w meksykańskiej stacji nadawali skoczną akordeonową muzykę. Z powrotem do aktualnego mieszkania. Bez względu na to, jak długo w nich mieszkał, tak naprawdę żadnego nie uważał za dom. Podkręcił głośniej.

Radosna muzyka.

Zanim zdążył wyjechać z parkingu, ulicą przemknęły dwa wozy strażackie, a za nimi wiekowe combi Chevroleta z pięcioma lub sześcioma przyciśniętymi do szyb brązowymi twarzami i przymocowanym na górze kojcem z kurczakami.

Życie.

Rozdział szesnasty

W chevrolecie nie było nic, co naprowadziłoby go na jakiś trop. W zasadzie pusty kontener. Bezosobowy niczym styropianowa filiżanka. Zdziwiłby się, gdyby było inaczej.

Jeżeli udałoby mu się w jakiś sposób sprawdzić numery rejestracyjne, najprawdopodobniej okazałyby się fałszywe. A nawet jeśli nie, dowiedziałby się, że samochód został skradziony.

No dobrze. Ale karty zostały rozdane. Trzymał je w ręku.

Kiedy twardziele — grubas i albinos — nie wrócą, ci, co ich wysłali, wyślą za nimi następnych. Za dużo luźnych nitek trzepotało na wietrze, było tylko kwestią czasu, kiedy ktoś oberwie po głowie.

To była jego jedyna przewaga.

Kierowca uznał, że najlepiej będzie, jeśli zabierze chevroleta. Zaparkuje w miejscu, gdzie będzie go trudno, ale nie nazbyt trudno znaleźć, zaczai się w pobliżu i będzie czekał.

W związku z tym przez dwa dni, z ręką bolącą jak sukinsyn, metaforycznymi nożami krojącymi ją od barku po nadgarstek i z powrotem oraz widmowym toporem opadającym za każdym razem, gdy się poruszył, siedział w centrum handlowym naprzeciwko miejsca, gdzie zaparkował chevroleta. Zmuszał się do posługiwania ranną ręką, nawet popijając kawę chi-chi, którą kupił za trzy dolary sześćdziesiąt osiem centów w otwartym stoisku tuż przy wejściu do centrum. Było to w Scottsdale, blisko właściwego Phoenix, ekskluzywnym przedmieściu, gdzie każda społeczność miała własny system murów, a w centrach handlowych dominowały sklepy Neiman-Marcus i Williams-Sonoma. Zabytkowy samochód w rodzaju tego chevroleta powinien pasować do charakteru miejsca, stojąc w stadzie mercedesów i beemek. Kierowca zaparkował go przy zewnętrznym skraju parkingu, w cieniu dwóch *palo verde*, żeby był widoczny.

Chociaż w tym momencie nie miało to większego znaczenia, odtwarzał w głowie cały scenariusz. Macher oczywiście wszystkich ich wystawił. Nie było co do tego wątpliwości. Kierowca widział, jak Strong pada — wyglądało na to, że załatwiony na amen. Może Strong brał udział w wystawieniu reszty, a może jak pozostali był tylko pionkiem, figurantem, płotką. Kierowca nie miał pewności co do Blanche. Mogła być wtajemniczona od samego początku, jednakże niewiele na to wskazywało. Niewykluczone, że szukała po prostu jakiegoś wyjścia, chciała mieć otwarte opcje, próbowała wyrwać się ze ślepego zaułka, do którego została zapędzona razem z Kierowcą. O ile się orientował, Macher wciąż był w grze. W żadnym wypadku nie miał jednak jaj i pozycji, żeby poradzić sobie z tymi twardzielami, kiedy przyjdą po odbiór kasy. Więc musiał łgać.

Pytanie było następujące: Kto się pojawi?

W każdej chwili mógł podjechać samochód z siedzącymi w środku zakapiorami.

Lub być może — tylko być może — szefowie zasugerują dyskretnie Macherowi, jak to się czasem robi, żeby sam po sobie posprzątał.

O dziewiątej czterdzieści pięć trzeciego dnia, kiedy ręka zwisała mu z barku niczym gorące kowadło, asfalt już się gotował, a w całym stanie nie poruszał się w podmuchu wiatru ani jeden listek, Kierowca ujrzał, jak Macher objeżdża dwa razy parking w crown victorii i zatrzymuje się tuż za chevroletem. W porządku, a zatem plan B, pomyślał. Zobaczył, jak Macher wysiada, rozgląda się i z kluczykiem w ręku idzie powoli w stronę zaparkowanego samochodu. Następnie otworzył drzwi od strony pasażera i wsunął się do środka. Po jakimś czasie wysiadł, obszedł auto i otworzył bagażnik. Połowa jego ciała zniknęła pod pokrywą.

— Śrutówka jest już do niczego — odezwał się Kierowca.

Macher walnął się głową o pokrywę, próbując jednocześnie wyprostować się i odwrócić.

— Przepraszam. Blanche też nie jest w dobrym stanie. Ale pomyślałem, że kilka rekwizytów może cię wprawić w nostalgiczny nastrój, przypomnieć, co poszło nie tak. Pokaż i opowiedz.

Ręka Machera uniosła się do kółka w prawym uchu. Kierowca przechwycił ją w pół drogi, wbijając knykieć tuż nad nadgarstkiem w splot nerwowy, co zablokowało czucie i zakłóciło przychodzące sygnały. Nauczył się tego podczas przerw od kaskadera, z którym pracował na planie filmu z Jackiem Chanem. A potem, dokładnie jak w tanecznym kroku, prawa stopa do przodu, dosunięcie lewej, obrót na piętach i Macher znalazł się w duszącym uścisku. Nauczył go tego ten sam kaskader.

— Hej, odpręż się. Gość, który mi to pokazywał, powiedział, że na krótką metę chwyt jest absolutnie bezpieczny — dodał. — Po czterech minutach mózg zaczyna się wyłączać, ale wcześniej...

Rozluźniwszy uścisk, pozwolił Macherowi osunąć się na ziemię. Facet miał wywalony na zewnątrz język i chyba nie oddychał. Patolog powiedziałby, że ma siną skórę, ale tak naprawdę była szara. Popękane naczynia krwionośne na całej twarzy.

— Oczywiście nie można wykluczyć, że zrobiłem coś nie tak. Minęło już trochę czasu.

Rękę Kierowcy przeszyły szpile bólu, gdy wyjmował portfel Machera. Nie było tam nic użytecznego ani godnego uwagi.

Sprawdźmy zatem rydwan.

W crown victorii w schowku na rękawiczki znalazł kwity ze stacji benzynowych, wszystkie ze śródmieścia: Seventh Street, McDowell, Central. Cztery albo pięć kartek ze wskazówkami, w większości nieczytelnymi, jak dojechać do różnych miejsc w Phoenix. Przedarty bilet na coś, co nazywało się Paco Paco, klubowe zapałki z „kabaretu dżentelmena" Philthy Phil's. Mapę drogową Arizony. Oraz plik związanych gumkami talonów.

PIZZERIA NINA

(ORAZ RESTAURACJA)

719 E. Lynwood

(480) 258-1433

DOSTAWA DO DOMU

Rozdział siedemnasty

Pierwsze kilka drinków wypijał każdego dnia zawsze poza domem. Miał do wyboru dwa miejsca, u Rosiego przy Main Street, kawał drogi bez samochodu, oraz Rusty Nail na rogu. Miał też samochód, ale prawo jazdy dawno już diabli wzięli i nie chciał niepotrzebnie ryzykować. Bar u Rosiego był typową robociarską speluną otwartą od szóstej. Kiedy prosiło się tam o bourbona albo whisky, barman nie musiał pytać o gatunek, miał tylko po jednej butelce każdego. Faceci nie musieli się przejmować takimi kłopotliwymi rzeczami jak okna, ponieważ lokal był jaskinią. Rusty Nail, będący w zasadzie barem ze striptizem, otwierali o dziewiątej. Od tego momentu aż do trzeciej, gdy pojawiały się dziewczęta i zmieniała się klientela (co nieraz go zaskakiwało), przesiadywali tam mechanicy z warsztatu przy końcu ulicy oraz pracownicy rzeźni z naprzeciwka, przychodzący często w zakrwawionych fartuchach. W związku z tym w te dni, kiedy trzymał się pewniej na nogach i nie za bardzo nim trzęsło, wybierał Rosiego.

Wszyscy, którzy pili tam z rana, byli stałymi gośćmi, ale nikt się nie odzywał. Drzwi były na ogół otwarte i podparte krzesłem i za każdym razem, kiedy ktoś wchodził, głowy odwracały się w tamtą stronę i czasami ktoś pozdrawiał skinieniem przybysza i wracał do swojego drinka. Kiedy docierał do baru, czekała już na niego podwójna szkocka. „Brakowało mi cię wczoraj", mówił Benny. Pierwsze drinki podawał mu w wysokich szklankach — dopóki drżały mu ręce. Tego ranka pojawił się później niż zwykle. „Zła noc?" — zapytał Benny. „Nie mogłem zasnąć". „Mój staruszek zawsze uważał, że to przez wyrzuty sumienia", odparł Benny. No właśnie, on uważał, że to przez wyrzuty sumienia, a ja uważam, że to ma coś wspólnego z nieświeżym stekiem z kurczaka.

Ktoś poklepał go po ramieniu.

— Doktor? Jesteś Doktor, prawda?

Lepiej go zignorować.

— Oczywiście, że tak. Postawić ci drinka?

Może jednak nie ignorować.

Benny podaje facetowi kolejnego budweisera i nalewa kolejną podwójną szkocką Doktorowi.

— Przecież cię znam, człowieku. Jestem z Tucson. Zajmowałeś się kiedyś facetami z toru wyścigowego. Kilka lat temu pozszywałeś mojego brajdaka po skoku na bank. Pamiętasz Noela Guzmana? Żylasty, wysoki? Z tlenionymi włosami?

Nie ma mowy, żeby zapamiętał. W swoim czasie łatał ich dziesiątki. Od groma i ciut, ciut — jak teraz mówią; ponownie zaczął się zastanawiać, skąd to się wzięło. *Od groma i ciut, ciut. Od metra. W trzy dupy.* Wcześniej nigdy nie słyszało się tych zwrotów, a teraz wszyscy ich używają.

— Już się tym nie zajmuję.

— Podobnie jak mój brat, bo nie żyje.

Doktor wychylił swoją szkocką.

— Przykro mi.

— Nie był nikim szczególnym, ale rozumiesz: rodzina.

Benny stanął przy nich z butelką. Młodemu człowiekowi trudno było powiedzieć, żeby nie nalewał. Patrzył z rodzajem przerażenia, jak kasa wybija rachunek na kwotę sześciu dolarów, po czym skinieniem głowy zaakceptował go. Benny wsunął rachunek pod stojącą przy nich popielniczkę.

— Zginął, próbując obrobić jakiś wietnamski rodzinny sklepik. Zanim się zorientował, powiedzieli gliniarze, kurdupel przeskoczył przez ladę i pół sekundy później brajdak leżał na podłodze i krew nie dopływała mu do mózgu. Nie tak wyobrażał sobie swój koniec.

— Czyż tak nie jest zawsze?

— Nie żeby kogoś to zaskoczyło. — Młody człowiek wypił swoje piwo i najwyraźniej miał ochotę na więcej. Trochę się wahał, ponieważ mogło to się wiązać z wysupłaniem kolejnych sześciu dolców na whisky.

— Ja stawiam — powiedział mu Doktor.

Benny zabrał wysoką szklankę, postawił przed nim niską i nalał. Dłoń Doktora nie drżała, kiedy ją podniósł.

— To samo? — zapytał Benny, zwracając się do chłopaka.

— Możesz się napić, czego chcesz — poinformował go Doktor.

— Niech będzie budweiser.

Benny przyniósł mu puszkę. Doc stuknął się z nim pustą szklaneczką i chłopak wypił.

— Więc... teraz tu mieszkasz?

Doktor pokiwał głową.

— I co robisz?

— Jestem na emeryturze.

— Człowieku, byłeś na emeryturze, kiedy się po raz pierwszy spotkaliśmy.

Doktor wzruszył ramionami i dał znak, żeby mu dolać. Tym razem dostał trochę więcej, bo kończyła się butelka. Przypomniało to Doktorowi puszkę Sterno z paliwem w żelu. Kiedyś w dzieciństwie wymknął się za dom w gąszcz żywopłotów i drzew pekanowych i z nastaniem nocy, zakutany w wojskowy śpiwór z demobilu, próbował usmażyć na niej bekon, ale udało mu się tylko przypiec kciuk.

— Chodzi o to, że mam nagraną superrobotę.

Oczywiście, że ma. Faceci tacy jak on podchodzą do ciebie w barze, znają cię albo tylko tak twierdzą, i zawsze mają nagraną superrobotę i chcą ci o niej opowiedzieć.

— Mam nadzieję, że nie idziesz w ślady swojego brata.

— Wiesz, jak to jest. W niektórych rodzinach są sami lekarze, w innych sami adwokaci...

Chłopak ściągnął but, wyjął wkładkę i wyłowił spod niej dwa studolarowe banknoty, które położył na barze. Część kasy, której mógł użyć na kaucję, jako dowód przeciwko zarzutom o włóczęgostwo, na łapówki albo po prostu, żeby przetrwać — stary więzienny zwyczaj.

Doktor spojrzał na banknoty.

— Jak się nazywasz, chłopcze?

— Eric. Eric Guzman. Potraktuj to jako zaliczkę.

— Spodziewasz się, że wkrótce będziesz potrzebował pomocy medycznej?

— Nie, ja nie. Ja jestem ostrożny. Planuję z góry.

A niech tam, może całe życie tego chłopaka nie trzymało się kupy. Piwo nie mogło mu tak uderzyć do głowy. Nie budweiser i nie w ciągu tych paru godzin, kiedy go sączył. Doktor podniósł wzrok i zobaczył źrenice wąskie jak szpilki. Okay. Teraz to miało sens.

— Planuję z góry, to właśnie robię. Jeśli coś się zdarzy, będę wiedział, dokąd pójść, tak? Chłopak gówno wiedział. W dzisiejszych czasach wszyscy oni gówno wiedzieli. Uważali się za wyjętych spod prawa, każdy z nich. Rzucali wyzwanie społeczeństwu, gotowi na wszystko, co było wbrew.

Doktor znosił Erica Guzmana jeszcze przez pół godziny, a potem przeprosił, zwlókł swój żałosny tyłek ze stołka i ruszył do domu. Tamten zdążył mu jednak opowiedzieć o swojej superrobocie. Mieli zamiar złupić sklep z elektroniką przy Central Avenue, nie w centrum, tylko na obrzeżach miasta, gdzie ulica jakby się urywała pośród magazynów i podobnych zabudowań. Urządzali tam kolosalną weekendową wyprzedaż i Guzman wykombinował, że w niedzielę będą mieli kupę forsy. Ochroniarze byli stuletnimi dziadkami. Miał skompletowaną ekipę, brakowało mu tylko kierowcy.

Przed domem czekała na Doktora Miss Dickinson, głośno się skarżąc. Mniej więcej przed rokiem zabłąkała się pod jego drzwi, które zostawił otwarte późnym popołudniem, i od tego czasu ją żywił. Mieszanej rasy (choć najbardziej zbliżona do rosyjskiej niebieskiej), nie miała połowy lewego ucha i dwóch pazurków przy lewej przedniej łapie.

— Ile już dziś zjadłaś posiłków, Miss D.? — zapytał.

Jej wizyty odznaczały się niepokojącą regularnością; podejrzewał, że robi rundę od domu do domu po całej okolicy. Otworzył jednak puszkę białego tuńczyka i postawił ją w kącie, gdzie Miss D. mogła się spokojnie posilić i nie musiała jej suwać po całym pokoju, choć wiedział, że i tak to będzie robiła długo po tym, jak ją wyliże.

Nie posprzątał po wczorajszym wieczorze. Paski zakrwawionego materiału, wata, miseczki z wodą utlenioną i betadine. Środek dezynfekcyjny, igły do szycia z nierdzewnej stali, butelki po alkoholu. Dobrze się znów do czegoś przydać.

Miss D. zjadła tuńczyka, zanim skończył sprzątać, i przyszła popatrzeć, co robi, marszcząc nos na środki odkażające i detergenty i obchodząc szerokim łukiem wodę utlenioną i betadine, bardzo za to interesując się zakrwawionym materiałem, watą i gazą. Próbowała wyciągnąć je z misek i plastikowych wiader, do których je wyrzucił.

Jego nowy pacjent miał się zgłosić na badanie kontrolne w piątek. Doktor powiedział mu, że obawia się infekcji. Teraz zastanawiał się, czy infekcja nie jest mniejszym zagrożeniem. Powinien ostrzec swojego pacjenta przed Erikiem Guzmanem.

Rozdział osiemnasty

Po śmierci Standarda przez dłuższy czas nie brał nowych robót. Nie żeby się do niego nie zwracano. Wieści się rozchodzą. Oglądał wraz z Beniciem sporo telewizji, pitrasił wielkie posiłki dla Iriny i z Iriną. „Nauczyłem się w ramach samoobrony", powiedział, kiedy zapytała, jak przekonał się do gotowania. A potem, trąc świeży parmezan i rozkładając na desce do krojenia włoskie kiełbaski, opowiedział jej o swojej matce. Stuknęli się kieliszkami. Dobre, niedrogie sauvignon blanc.

Raz czy dwa razy w tygodniu jeździł do studia, robił to, czego od niego chcieli, i był z powrotem, zanim jeszcze Benicio wrócił ze szkoły. Czeki, które przysyłał mu co miesiąc Jimmie, były coraz wyższe.

To mogło trwać wiecznie. Ale... Wszystko, co złote, krótko trwa* — zapamiętał to z wiersza, który czytał w szkole średniej.

Nadeszła jesień, choć w LA czasami trudno to zgadnąć, jeśli nie zajrzy się do kalendarza. Noce były chłodne i wietrzne. Każdego wieczoru światło czepiało się heroicznie horyzontu, a potem gasło.

Wróciwszy do domu z oddziału pomocy doraźnej, gdzie pracowała jako rejestratorka, Irina nalała wina do kieliszków.

— Za nasze...

Pamiętał, że kieliszek wypadł jej z ręki i rozbił się na podłodze.

Pamiętał gwiazdę krwi na jej czole i strużkę krwi na policzku, kiedy w tej krótkiej chwili, zanim upadła, próbowała wypluć z ust to, co w nich miała.

Pamiętał, że złapał ją, gdy padała — a potem bardzo długo nic więcej.

Gangsterskie porachunki, powiedziała mu później

---

* Robert Lee Frost, *55 wierszy*, tłum. Stanisław Barańczak, Wyd. Arka, Kraków 1992.

114

policja. Ich zdaniem chodziło o jakieś spory tery-
torialne.

Irina zmarła o czwartej rano.

⊙ ⊙ ⊙

Ponieważ Kierowcy nie przysługiwały żadne prawa,
Benicia wyekspediowano do dziadków w Mexico
City. Przez mniej więcej rok pisał do chłopca raz
w tygodniu, a Benicio wysyłał mu swoje rysunki.
Kierowca kładł je na lodówce w każdym z wynaj-
mowanych przez siebie mieszkań, jeśli była w nich
akurat lodówka. Przez jakiś czas nie mógł zagrzać
nigdzie miejsca i przenosił się co miesiąc albo dwa
ze starego Hollywood do Echo Park, a stamtąd do
Silverlake, myśląc, że to pomoże. Czas mijał, bo to
właśnie robi czas, od tego jest. A potem któregoś dnia
uświadomił sobie, że bardzo dawno nie miał już
żadnej wiadomości od chłopca. Próbował się dodzwonić, ale telefon był wyłączony.

Nie chcąc być sam, wpatrywać się w puste ściany
i liczyć upływających godzin, Kierowca starał się
czymś zająć. Brał wszystkie zlecenia, które mu da-
wano, i szukał kolejnych. Wziął nawet mówioną rolę

w jednym z filmów, kiedy pół godziny po rozpoczęciu zdjęć rozchorował się drugoplanowy aktor.

Reżyser wszystko mu opisał.

— Zajeżdżasz i ten facet tam stoi. Potrząsasz głową, jakbyś mu współczuł, temu biednemu sukinsynowi, a potem wysiadasz z samochodu i opierasz się o drzwi. „Twoja decyzja", mówisz mu. Wszystko jasne?

Kierowca pokiwał głową.

— To po prostu ociekało groźbą — oświadczył później reżyser podczas przerwy na lunch. — Dwa słowa! Dwa pierdolone słowa! To było piękne. Powinieneś poważnie pomyśleć, czy nie poszerzyć swojego emploi.

Kierowca poszerzył swoje emploi, ale nie w tym sensie, jaki miał na myśli reżyser.

Standard przesiadywał często w barze o nazwie Buffalo Diner tuż przy Broadwayu w śródmieściu LA. Jedzenia nie podawano tam od panowania Nixona, ale nazwa przetrwała, podobnie jak tu i ówdzie kreda, którą wypisano ostatnie menu na czarnej tablicy nad barem. Kierowca zaczął tam bywać po południu. Nawiązywał rozmowy, stawiał drinki, napomykał, że był znajomym Standarda, pytał, czy ktoś nie szuka pierwszorzędnego kierowcy. Pod koniec drugiego tygodnia został stałym gościem, znał z imienia pozostałych i miał więcej roboty, niż mógł wykonać.

Kiedy zaczął odrzucać oferty zdjęciowe i w dalszym ciągu je odrzucał, ich liczba stopniała.

— Co mam mówić tym wszystkim ludziom? — zapytał po pierwszych kilku odmowach Jimmie.

Po kilku tygodniach powiedział:

— Chcą mieć najlepszego. Kontaktował się nawet ten Włoch ze zmarszczkami na czole i brodawkami. Osobiście, a nie przez jakiegoś sekretarza czy machera. We własnej, kurwa, osobie.

Przedostatnia wiadomość od Jimmiego brzmiała:

— Posłuchaj. — W tym czasie Kierowca przestał już odbierać telefon. — Rozumiem, że żyjesz, ale zaczynam mieć to głęboko w dupie, jeśli rozumiesz, o co mi chodzi. Mówię ludziom, że znalazłem chyba drugiego dupka.

Ostatnia wiadomość była krótka: „Było miło, młody, ale właśnie zgubiłem twój numer".

Rozdział dziewiętnasty

Z budki telefonicznej Kierowca zatelefonował pod numer podany na talonach. Po drugiej stronie telefon dzwonił i dzwonił — było w końcu dość wcześnie. Ten, kto go wreszcie odebrał, oświadczył stanowczo — tak stanowczo, jak to możliwe, kiedy mówi się łamanym angielskim — że pizzeria Nina nie jest jeszcze otwarta i proszę zadzwonić po jedenastej, proszę.

— Mogę to zrobić — odparł Kierowca — ale niewykluczone, że twój szef będzie niezadowolony, kiedy dowie się, że kazałeś mu czekać.

Najwyraźniej za dużo słów.

— I niewykluczone, że powinieneś dać słuchawkę komuś, kto mówi trochę lepiej po angielsku.

Jakiś bezdomny przeszedł ulicą, pchając przed sobą wyładowany wysoko wózek na zakupy. Kierowca ponownie pomyślał o Sammym i jego zaprzężonym w muła wozie z rzeczami, których nikt nie chciał.

— Mogę panu w czymś pomóc? — rozległ się nowy głos.

— Mam taką nadzieję. Wygląda na to, że jestem w posiadaniu czegoś, co nie należy do mnie.

— A cóż to takiego?

— Prawie ćwierć miliona dolarów.

Po kilku chwilach w słuchawce zabrzmiał kolejny głos — niski i głęboki.

— Tu Nino. Z kim mam, kurwa, przyjemność?

Dino twierdzi, że masz coś, co należy do mnie.

Nino i Dino?

— Mam powody wierzyć, że tak jest w istocie.

— No cóż, wielu ludzi ma rzeczy, które należą do mnie. Mam sporo rzeczy. Mówisz, że jak brzmi twoje nazwisko?

— Wolałbym je zachować dla siebie. Jestem do niego przywiązany.

— Czemu nie, do diabła? Ja też nie potrzebuję kolejnych pieprzonych nazwisk. Rozmawiam, kurwa, przez telefon, nie widzisz? — To było do kogoś innego. — Więc o co chodzi? — zwrócił się z powrotem do Kierowcy.

— Załatwiałem ostatnio interesy z facetem od pana. Jeździł crownem victorią.

— To popularna marka.

— Owszem. Chciałbym, żeby pan wiedział, że ten facet nie będzie już załatwiał żadnych interesów. Podobnie jak Strong i Blanche. A także dwaj dżentelmeni, którzy wymeldowali się po raz ostatni z pokoju w Motelu Six na północ od Phoenix, choć to wcale nie był ich pokój.

— Phoenix to niebezpieczne miasto.

Kierowca słyszał oddech mężczyzny po drugiej stronie linii.

— Kim ty, kurwa, jesteś? Jakąś pieprzoną armią?

— Jestem kierowcą. To jest to, czym się zajmuję. Wszystko, czym się zajmuję.

— Tak. Ale muszę powiedzieć, że moim zdaniem twoje usługi są czasami więcej warte niż pieniądze, które za nie dostałeś, jeśli rozumiesz, co mam na myśli.

— Jesteśmy zawodowcami. Ludzie zawierają umowy i powinni się ich trzymać. Tak to funkcjonuje, jeśli ma w ogóle funkcjonować.

— Mój stary mówił dokładnie to samo.

— Nie liczyłem, ale Blanche powiedziała mi, że w torbie jest ponad dwieście tysięcy.

— Więc lepiej niech tam tyle będzie. A mówisz mi to, ponieważ?

— Ponieważ to twoja forsa i twoja torba. Powiedz tylko słowo, a w ciągu godziny znajdą się przy twoich drzwiach.

Kierowca usłyszał w tle jakąś musującą i meandryczną muzykę, być może Franka Sinatry.

— Nie jesteś w tym najlepszy, prawda?

— W tym, czym się zajmuję, jestem najlepszy. To nie jest to, czym się zajmuję.

— Jakoś to przeżyję. I co będziesz miał z tego, że to zakończysz?

— Właśnie to, to, że zakończę. Kiedy pieniądze trafią do twoich rąk, jesteśmy kwita. Zapominasz o Macherze i crown victorii, zapominasz o bandziorach w Motelu Six, zapominasz, że mieliśmy tę rozmowę. Nikt nie zgłosi się do mnie za tydzień albo za miesiąc, żeby przekazać od ciebie pozdrowienia.

W słuchawce pulsowała cisza. Po drugiej stronie znowu zaczęła grać muzyka.

— A jeśli odmówię? — zapytał Nino.

— Dlaczego miałbyś odmawiać? Nie masz nic do stracenia i ćwierć miliona do zyskania.

— Trafna uwaga.

— Więc umowa stoi?

— Umowa stoi. W ciągu godziny...?

— Zgadza się. Pamiętaj tylko, co mówił twój stary.

Rozdział dwudziesty

Doktor wyrzucił gąbki, gaziki, strzykawki i rękawiczki do plastikowego pojemnika w kolorze listew podłogowych i służącego jako kosz na śmieci w samochodach. Mieszkał w końcu w garażu, tak? Gdyby mieszkał na wyspie, użyłby skorupy kokosa. Żaden problem.

— To by było na tyle — powiedział. — Szwy są zdjęte, rana wygląda nie najgorzej.

Minusem było to, że pacjent będzie miał ograniczone czucie w tej ręce.

Plusem zaś to, że zachowa pełną ruchomość ręki.

Kierowca wręczył mu plik związanych gumką banknotów.

— Tyle jestem ci chyba winien. To nie wyrównuje...

— Na pewno wyrównuje.

— W końcu nie po raz pierwszy pozszywałeś mnie do kupy.

— To był ford z tysiąc dziewięćset pięćdziesiątego, prawda?

— Taki sam jak ten, którym jeździł Mitchum w *Thunder Road*.

Tak naprawdę ford był z rocznika pięćdziesiątego pierwszego — można to było poznać po znaczkach V8 oraz napisie Ford Custom na przednich błotnikach, tablicy rozdzielczej i kierownicy — ale z maski zdjęto chromowane listwy i dodano kratkę chłodnicy z rocznika pięćdziesiątego.

— Wpadłeś na podpory wjazdu na autostradę, które tam właśnie wyrosły.

— Zapomniałem o nich. Nie było ich, kiedy poprzednio tamtędy jeździłem.

— Całkowicie zrozumiałe.

— Coś szwankowało również w aucie.

— Człowiek powinien uważać, komu kradnie samochód.

— Od kogo pożycza samochód. Miałem zamiar go oddać... Mówiąc serio, Doktorze, ocaliłeś mi tyłek wtedy i ocaliłeś go teraz. I dziękuję za ostrzeżenie co do Guzmana. Oglądałem wiadomości. Wszyscy trzej zginęli na miejscu.

— To by się zgadzało. Był twoim największym zagrożeniem.

— Niewielu dokooptowałoby do ekipy jednorękiego kierowcę. Byłem w desperacji. W tamtym momencie wziąłbym prawie wszystko. Wiedziałeś o tym.

Ale Doktor, co mu się czasem zdarzało, odpłynął już do własnego świata i nic nie odpowiedział.

Kiedy Kierowca wychodził, przybiegła Miss Dickinson i niczym koń na biegunach biła o ziemię najpierw przednimi, a potem tylnymi sztywnymi łapami. Doktor opowiadał mu o niej. Kierowca wpuścił ją do środka i zamknął drzwi. Kiedy widział ją po raz ostatni, czekała spokojnie u stóp Doktora.

Doktor rozmyślał o przeczytanym przez siebie opowiadaniu Theodore'a Sturgeona. Jego bohater, niezbyt rozgarnięty facet, mieszka w garażu podobnym do jego. Jest prymitywny, elementarny; nie potrafi korzystać z życia. Ale umie wszystko naprawić. Pewnego dnia znajduje na ulicy ciężko pobitą kobietę,

która ledwo żyje. Facet zabiera ją do swojego mieszkania — i tu Sturgeon bardzo dokładnie opisuje
sposoby sączkowania ran, prowizoryczne instrumenty
chirurgiczne, każdy najdrobniejszy szczegół — i re-
peruje.

Jak się nazywało to opowiadanie?

Bright Segment — taki był tytuł.

Jeśli w życiu trafia nam się kilka takich jasnych
segmentów, myśli Doktor, mamy szczęście. Większość
go nie ma.

A reszta nie jest milczeniem, jak mówią w operze
Pajace.

Reszta jest tylko hałasem.

Rozdział dwudziesty pierwszy

Najlepszym filmem, przy którym kiedykolwiek pracował Kierowca, był remake *Thunder Road*. Do diabła, dwie trzecie filmu to była jazda. Prawdziwą gwiazdą był w nim chevrolet rocznik pięćdziesiąt sześć, z Kierowcą w środku.

Ta produkcja była jedną z rzeczy, które biorą się nie wiadomo skąd — dwaj faceci siedzieli po prostu w barze i rozmawiali o ulubionych filmach. Byli braćmi i mieli kilku pomniejszych inwestorów celujących w rynek młodzieżowy. Obaj trochę nawiedzeni, ale dość dobrzy. Starszy, George, był frontmanem: zajmował się produkcją, szukaniem pieniędzy i tak dalej. Reżyserował głównie jego młodszy brat Junie. Nocami pisali razem scenariusze w różnych restauracjach Denny'ego w śródmieściu LA.

Po trzech albo czterech minutach powtarzania sobie kwestii i scen z *Thunder Road* obaj równocześnie umilkli.

— Moglibyśmy to zrobić — rzucił George.

— Na pewno moglibyśmy spróbować.

Nazajutrz, nie mając niczego na papierze, żadnego konspektu i ani jednego słowa scenariusza, nie mówiąc już o kosztorysie i planie finansowym, dopięli sprawę. Mieli zobowiązania warunkowe inwestorów, dystrybutora, wszystko co trzeba. Ich adwokat zajął się prawami i zezwoleniami.

Przeważyło to, że zwrócili się do najbardziej wziętego wówczas młodego aktora, który okazał się wielkim fanem Roberta Mitchuma. „Człowieku, chciałem być Bobem Mitchumem", powiedział i podpisał kontrakt. Kierowca pracował przy filmie, który uczynił z tamtego gościa gwiazdora. Już wtedy był jednak gnojkiem i to się nie zmieniło. Przetrwał jeszcze rok albo dwa, po czym zniknął z powierzchni ziemi. Później czytało się o nim od czasu do czasu w tabloidach. Znowu trafił na odwyk, szykowano mu wielki comeback, wystąpił w jakimś żałosnym sitcomie. Ale wtedy, wcześniej, wszyscy go jeszcze kochali, a ponieważ mieli go w zespole, cała reszta poszła jak z płatka.

Tym, czego ludzie nie wiedzą o oryginale, jest to, że ford użyty w scenie wypadku został specjalnie skonstruowany. Założyli mu zderzaki z lanej stali, poważnie wzmocnili karoserię i ramę, zwiększyli maksymalnie moc silnika i nagle zdali sobie sprawę, że żadne normalne opony nie wytrzymają takiego ciężaru i szybkości. W związku z tym musieli wyprodukować specjalne, z gąbczastej litej gumy. Wszystkie wykorzystane w filmie auta bimbrowników były autentyczne. Używali ich bimbrownicy w Asheville w Karolinie Północnej, którzy sprzedali je wytwórni filmowej i za otrzymane pieniądze kupili sobie nowsze i szybsze.

Kierowca wykonywał w filmie większość numerów za kółkiem. Partnerował mu młody chłopak z Gary w Indianie, niejaki Gordon Ligocki. Facet miał fryzurę à la kaczy kuper z lat pięćdziesiątych, a także bransoletkę identyfikacyjną z wygrawerowanym napisem „Twoje Nazwisko". Mówił tak cicho, że trzeba było go prosić, żeby powtórzył połowę tego, co powiedział.

— ... — oznajmił pierwszego dnia podczas przerwy na lunch.

— Słucham? — spytał Kierowca.

— Powiedziałem, że dobrze prowadzisz.

— Ty też.

Siedzieli w milczeniu. Ligocki pił jedną po drugiej puszki coli. Jedząc swoje sandwicze i owoce i sącząc kawę, Kierowca zastanawiał się, czy w połowie każdego numeru facet nie będzie robił sobie przerwy, żeby się wysikać.

— ...?

— Co?

— Pytałem, czy masz rodzinę.

— Nie, jestem sam.

— Od dawna tu pracujesz?

— Kilka lat. A ty?

— Niedługo będzie rok. Trudno z kimś się zaprzyjaźnić w tym mieście. Ludzie bez oporów zagadują cię na ulicy, ale na tym to się zwykle kończy.

Chociaż w ciągu następnego roku albo dwóch spędzili wspólnie sporo czasu, spożywając razem posiłki i chodząc do baru, była to najdłuższa wypowiedź, jaką Kierowca kiedykolwiek usłyszał z ust

Ligockiego. Między „Co słychać" i „No to do następnego razu" całe wieczory mogły upłynąć we względnym milczeniu i wcale im to nie przeszkadzało. Ten film był najtrudniejszy ze wszystkich, przy których pracował Kierowca. Najlepiej też się przy nim bawił. Zwłaszcza wykonanie jednego numeru zajęło mu prawie cały dzień. Miał nadjechać pełnym gazem ulicą, zobaczyć blokadę drogową i walnąć w mur. Musiał ustawić samochód bokiem, nie przewracając go. Przy dwóch pierwszych przejazdach dachował. Za trzecim razem wydawało mu się, że wyszło dobrze, ale reżyser powiedział, że mieli jakieś problemy techniczne i musieli powtórzyć ujęcie. Udało mu się dopiero przy czwartym kolejnym przejeździe.

Kierowca nie wiedział, co się stało, ale film nigdy nie wszedł na ekrany. Może coś było nie tak z prawami albo wyskoczyła jakaś inna kwestia prawna, których mogło być setki. Większość filmów w fazie planowania w ogóle nie powstaje. Ten mieli już jednak zrobiony i był dobry.

Rozdział dwudziesty drugi

Szósta rano, pierwszy brzask, świat zszywający się z powrotem, powstający na nowo na jego oczach, kiedy wyjrzał przez okno.

Mrugnął i pojawił się magazyn po drugiej stronie ulicy.

Mrugnął ponownie i w oddali zamajaczyło miasto, zdążający pełną parą do portu statek.

Ptaki sfrunęły, narzekając, z jednego postrzępionego drzewa na drugie. Samochody stały z zapalonymi silnikami przy krawężnikach, zabierały ludzki ładunek i odjeżdżały.

Kierowca siedział w swoim mieszkaniu, popijając szkocką z jedynej szklanki, którą zachował. To był buchanan, średniej klasy marka. Całkiem niezła.

Świetnie się sprzedająca wśród Latynosów. Nie miał tu założonego telefonu i żadnych wartościowych rzeczy. Kanapa, łóżko i krzesła wchodziły w skład wyposażenia. Ubrania, maszynka do golenia, pieniądze i inne niezbędne przedmioty czekały w marynarskim worku przy drzwiach.

A porządny samochód na parkingu.

Telewizor dostrzegł obok worków ze śmieciami przy krawężniku, kiedy odstawiał tam własne szklanki, talerze i inne graty. Czemu nie, pomyślał. Z dziesięciocalowym ekranem i zdrowo poobijany, ale działał. I teraz oglądał na nim film przyrodniczy — cztery albo pięć kojotów goniło zająca. Kojoty zmieniały się: przez jakiś czas pościg prowadził jeden, potem pałeczkę przejmował drugi.

Prędzej czy później oczywiście go dopadną. To tylko kwestia czasu. Nino od początku to wiedział. Obaj wiedzieli. Reszta nie była niczym innym jak tańcem, wymyślnymi krokami do przodu i unikami, wywijaniem muletą. Nie było mowy, żeby to sobie odpuścili.

Wkrótce będzie miał gości, to nie ulegało kwestii.

Rozdział dwudziesty trzeci

W jego śnie zając stawał nagle jak wryty w miejscu, odwracał się do kojota i rzucał na niego, szczerząc wielkie, ostre jak noże zęby.

Wtedy właśnie Kierowca obudził się i zorientował, że ktoś jest w pokoju. Zmiana w fakturze ciemności przy oknie powiedziała mu, gdzie znajduje się intruz. Kierowca obrócił się ciężko na materacu, jakby miał niespokojny sen, rama łóżka walnęła o ścianę.

Mężczyzna przestał się poruszać.

Kierowca obrócił się ponownie i nie zatrzymując się, zerwał z łóżka. Antena samochodowa, którą trzymał w ręku, smagnęła mężczyznę po szyi. Trysnęła krew i przez chwilę — dwie, trzy sekundy — facet stał bez ruchu. Kierowca był już za nim. Podciął mężczyznę kopniakiem i kiedy ten padał, smagnął go ponownie anteną, tym razem z drugiej strony, następnie zaś po ręce, która sięgała, jak się zdaje, po broń.

Pochyliwszy się i przydeptawszy facetowi ramię, Kierowca wyciągnął ją. Trzydziestkaósemka z krótką lufą. Jakby biedne maleństwo przeszło operację nosa, żeby się dopasować.

— W porządku. Wstawaj.

— Jak sobie życzysz. — Jego gość podniósł ręce, dłońmi na zewnątrz. — Będę grzeczny.

Tak naprawdę jeszcze dzieciak. Z mięśniami wyrzeźbionymi przez sterydy i siłownię. Ciemne włosy przycięte do samej skóry po bokach i zapuszczone na górze. Sportowa marynarka narzucona na czarny T-shirt, kilka złotych łańcuchów. Małe kwadratowe zęby. Zupełnie niepodobne do zębów zająca.

Kierowca wyprowadził go przez frontowe drzwi na balkon obiegający cały budynek. Wychodziły na niego wszystkie mieszkania.

— Skacz — powiedział.

— Oszalałeś, człowieku. Jesteśmy na drugim piętrze.

— Twoja decyzja. Mnie jest wszystko jedno. Albo

skoczysz, albo zastrzelę cię na miejscu. Zastanów się nad tym. To jakieś trzydzieści stóp. Przeżyjesz. Przy odrobinie szczęścia będziesz miał tylko dwie złamane nogi, może strzaskaną kostkę.

Kierowca dostrzegł w nim zmianę, chwilę kiedy napięcie ustąpiło i ciało tamtego pogodziło się z tym, co miało nastąpić. Facet położył rękę na balustradzie.

— Pozdrów ode mnie Nina — powiedział Kierowca.

Potem zabrał swój leżący przy drzwiach marynarski worek i zszedł tylnymi schodami do samochodu. Kiedy zapalił silnik, z głośników popłynął *Jumpin' Jack Flash*.

Cholera.

Stacja najwyraźniej zmieniła, jak lubili to określać, swój profil. Ktoś ich wykupił? Zdradzili swoich słuchaczy? To miał być lekki jazz, do diabła. Jeszcze kilka dni temu był za każdym razem, kiedy wcisnął przycisk. A teraz to.

Człowiek nie może już na niczym polegać.

Kierowca zaczął zmieniać stacje: muzyka country, wiadomości, talk-show o obcych pochodzenia pozaziemskiego, muzyka łatwa, lekka i przyjemna, znowu country, hard rock, kolejny talk-show o obcych pochodzenia ziemskiego i znowu wiadomości.

Zatroskani obywatele Arizony nie kryli oburzenia, bo jakaś humanitarna grupa zaczęła instalować stacje wodne na pustyni, którą musieli pokonać przedostający się z Meksyku do Stanów Zjednoczonych nielegalni imigranci. Tysiące już zginęły, próbując przejść przez granicę. *Zatroskani obywatele Arizony*, zauważył Kierowca, wypowiedziane zostało na jednym oddechu, podobnie jak *broń masowego rażenia* albo *czerwone zagrożenie*.

Stanowi legislatorzy próbowali tymczasem uchwalić przepisy pozbawiające nielegalnych obcych darmowej opieki medycznej w przepełnionych, zadłużonych szpitalach i przychodniach Arizony.

Doktor powinien postarać się o franszyzę.

Kierowca wjechał na autostradę międzystanową.

Czyżby wysłali za nim tylko jednego psa? W dodatku niedoświadczonego, a nie kogoś, kto zna się na rzeczy. To było bezdennie głupie, nie miało żadnego sensu.

A może jednak miało.

Dwie możliwości.

Pierwsza: próbowali go wrobić. Wysłany zabójca nie puściłby oczywiście pary z gęby. Ale gdyby Kierowca go zabił — czego ci, co wysłali faceta, mieli prawo oczekiwać — policja chodziłaby od drzwi do drzwi i sprawdzała rejestry wynajmu. W całej Kalifornii i przyległych stanach faksy obudziłyby się z drzemki i zaczęły wypluwać kopie starego zdjęcia Kierowcy z wydziału komunikacji i nie wiadomo jakie jeszcze inne informacje. Nie było ich wiele; nawet dawniej starał się instynktownie nie rzucać w oczy.

Druga możliwość stała się bardziej realna, kiedy za Sherman Oaks zza jadących za nim samochodów wyskoczył niebieski mustang, zainstalował się w jego wstecznym lusterku i nie chciał stamtąd zniknąć.

A więc nie tylko wysłali za nim ogon, ale chcieli, żeby o tym wiedział.

Kierowca zjechał raptownie z autostrady, skręcił na parking i nie gasząc silnika, stanął w miejscu, gdzie zatrzymywały się ciężarówki. Ze stojącej nieopodal furgonetki wysypała się cała rodzina: z psami, rodzicami krzyczącymi na dzieci i dziećmi krzyczącymi na psy i na siebie nawzajem.

Mustang pojawił się w jego wstecznym lusterku.
A więc tak, pomyślał Kierowca. Teraz zagramy na moich zasadach.

Puścił sprzęgło i pomknął do przodu drogą dojazdową. Nabierając szybkości, na przemian zerkał w lusterko i na autostradę. Kiedy zobaczył odpowiednio szeroką lukę, wślizgnął się między dwa tiry. A jednak, chociaż próbował różnych sztuczek, nie mógł zgubić tego sukinsyna.

Co jakiś czas zjeżdżał z autostrady i starał się wykorzystać światła sygnalizacji ulicznej w charakterze blokady, która zatrzymałaby jego prześladowcę. Albo z powrotem na autostradzie przyspieszał i włączał kierunkowskaz, jakby chciał z niej zjechać, a potem chował się za przyczepą i pruł do przodu.

Cokolwiek robił, mustang sterczał za nim niczym złe wspomnienie, historia, przed którą nie można uciec.

Człowiek w desperacji chwyta się desperackich sposobów.

Daleko za miastem, tam gdzie pierwsze kręcące leniwie skrzydłami białe wiatraki nawijały niebo na pustynię, Kierowca skręcił bez ostrzeżenia na drogę wyjazdową, wykonał pełny obrót i zwrócony przodem w kierunku, z którego przyjechał, czekał, aż pojawi się przed nim mustang.

Wtedy wdepnął gaz do dechy.

Wydawał się nieprzytomny może przez minutę, dwie, nie dłużej. Stara kaskaderska sztuczka: w ostatnim momencie rzucił się na tylne siedzenie i skulił w oczekiwaniu na kolizję. Samochody zderzyły się czołowo. Żaden nie nadawał się już do jazdy, ale mustang, co było do przewidzenia, ucierpiał gorzej. Kierowca otworzył kopniakiem drzwi i wygramolił się na zewnątrz.

— Nic się panu nie stało? — krzyknął ktoś przez okno poobijanego pick-upa stojącego z włączonym silnikiem na drodze zjazdowej.

A potem rozległo się przeciągłe wycie klaksonu oraz pisk opon i za pick-upem zatrzymała się z poślizgiem furgonetka Chevroleta.

Kierowca podszedł do mustanga. W oddali słychać było syreny.

Kaczy kuper Gordona Ligockiego nigdy już nie będzie się dobrze prezentować. Facet miał złamany kark. Sądząc po krwi wokół ust, doznał również wewnętrznych obrażeń. Prawdopodobnie nadział się na kierownicę.

Kierowca miał talony z Pizzerii Nina.

Wsunął jeden z nich do kieszeni koszuli Gordona Ligockiego.

Rozdział dwudziesty czwarty

Podwiezienie zaproponował mu facet z pick-upa, którego aluminiowy kij baseballowy wpłynął na nastawienie młodzieżowej załogi furgonetki tak mocno, że szybko udali się w dalszą drogę.

— Domyślam się, że nie chciałby pan tu pozostawać, gdy przybędzie władza — oświadczył, kiedy Kierowca podszedł do pick-upa. — To samo można powiedzieć o mnie. Spadajmy stąd.

Kierowca wsiadł do szoferki.

— Jestem Jodie — oznajmił facet, kiedy przejechali mniej więcej milę — lecz w tej okolicy wszyscy nazywają mnie Żeglarzem. To miało być skrzydło nietoperza, ale wygląda jak grotżagiel — dodał, pokazując tatuaż na prawym bicepsie.

Biceps pokrywały profesjonalnie wykonane tatuaże: nietoperz, dziewczyna w spódniczce z trawy, z zakrywającymi piersi skorupami kokosa, poza tym amerykańska flaga i smok. Tatuaże na trzymających kierownicę dłoniach były inne: więzienne, zrobione w prymitywny sposób atramentem i końcówką drutu. Którym była najczęściej struna gitary.

— Dokąd jedziemy? — zapytał Kierowca.

— To zależy... W miasteczku niedaleko mają dość niezłą knajpę. Nie jest pan przypadkiem głodny?

— Mógłbym coś zjeść.

— Skąd ja to wiedziałem?

To była klasyczna małomiasteczkowa restauracja ze stojącymi na parze tackami, na których piętrzyły się kawałki rzymskiej pieczeni, krewetki, pikantne skrzydełka, fasola z parówkami, frytki oraz rostbef. Poza tym plastry wiejskiego sera, trzywarstwowa galaretka, zielona sałata, pudding, słupki marchewki i selera, zapiekanka z zielonym groszkiem. Klientela składała się głównie z niebieskich kołnierzyków, pracujących w pobliskich biurach kobiet w poliestrowych sukienkach i mężczyzn w koszulach z krótkim rękawem oraz starszych pań z ufarbowanymi na niebiesko włosami. Te ostatnie przybywały o pierwszej po południu swoimi podobnymi do czołgów autami, powiedział mu Jodie, w których ledwie było widać ich głowy nad kierownicą. Wszyscy na wszelki wypadek czmychali wtedy z ulic.

— Nie ma pan jakiejś pracy, która na pana czeka? — zapytał Kierowca.

— Nie, jestem panem swojego czasu. Dzięki Wietnamowi. Złapali mnie za napad z bronią w ręku, rozumie pan, i sędzia dał mi do wyboru: zaciągnę się albo trafię z powrotem za kratki. Nie bardzo mi się tam spodobało za pierwszym razem i nie spodziewałem się raczej, że to się zmieni. Odbyłem więc podstawowe szkolenie, zaokrętowałem się i po jakichś trzech miesiącach, kiedy siedziałem tam, pijąc pierwsze piwo na śniadanie, postrzelił mnie snajper. Wylała się cała puszka. Kutas czekał tam całą noc. Przetransportowali mnie samolotem do Sajgonu, wykroili pół płuca i wysłali z powrotem do Stanów. Ubytek zdrowia, do którego można się przyzwyczaić pod warunkiem, że nie zasmakuję w czymś więcej poza tłustymi hamburgerami i tanią wódą.

Jodie dopił swoją kawę. Tancerka hula na jego

144

ramieniu poruszyła biodrami. Niżej zakołysała się podobna do indyczych korali luźna skóra.

— Mam wrażenie, że ty też brałeś udział w działaniach wojennych — powiedział.

Kierowca potrząsnął głową.

— W takim razie siedziałeś. Spędziłeś jakiś czas za kratkami.

— Jeszcze nie.

— A przysiągłbym, że... — Jodie chciał pociągnąć kolejny łyk kawy i zrobił zdziwioną minę, widząc, że filiżanka jest pusta. — Co ja zresztą, kurwa, wiem.

— Jak wygląda reszta pańskiego dnia? — zapytał Kierowca.

Najwyraźniej chujowo. I typowo. Jodie mieszkał w przyczepie w Paradise Park niedaleko autostrady. Wszędzie dookoła widać było porzucone lodówki, łyse opony i pozbawione opon gnijące pojazdy. Pół tuzina psów bez przerwy warczało i szczekało. W kuchennym zlewie Jodiego piętrzyłby się stos niemytych naczyń, gdyby miał ich tyle, żeby mogły się spiętrzyć. Te nieliczne leżały w zlewie i wyglądało na to, że się tam zadomowiły. Tłuszcz pływał w rowkach przy palnikach kuchenki.

Zaraz po wejściu Jodie włączył telewizor, poszperał przez chwilę w zlewie, obmył wodą z kranu dwie szklanki i nalał do nich bourbona. Pokryty parchami pies niewiadomego pochodzenia wyszedł z głębi przyczepy, żeby się z nimi przywitać, po czym wyczerpany wysiłkiem padł u ich stóp.

— To Generał Westmoreland — powiedział Jodie.

Siedzieli, oglądając stary film *W pogoni za cieniem*, a potem *Rockford Files* i równo sącząc bourbona. Po trzech godzinach Jodie padł podobnie jak jego pies. Kierowca zabrał pick-upa, zostawiając liścik z podziękowaniami i zwitek pięćdziesięciodolarowych banknotów.

Rozdział dwudziesty piąty

Przysłali to w kartonie niewiele większym od tego, w którym przyszła encyklopedia stojąca na półce w salonie, za zakurzonymi figurkami ryb i aniołów. Jak coś takiego mogło się tam zmieścić? Coś takiego jak stół? Stylowy stół, pisali w reklamie, wykonany przez jednego z czołowych amerykańskich projektantów, do zmontowania w domu.

Paczka przyszła koło południa. Jego matka była taka podekscytowana. Zaczekamy i otworzymy ją po lunchu, powiedziała.

Zamówiła stół przez pocztę. Pamiętał, jak go to zdziwiło. Czy listonosz zadzwoni i kiedy matka otworzy drzwi, poda go jej przez próg? Oto pani stół. Zakreślisz kółko, napiszesz liczbę na kawałku papieru, dołączysz czek i stół pojawi się u twoich drzwi. To i tak graniczyło z magią. Ale żeby jeszcze przysłali go w takim małym pudełku?

Inne wspomnienia jego matki i wczesnego dzieciństwa pojawiają się czasem w godzinach przed świtem. Kiedy się budzi, są w jego głowie, ale gdy próbuje je sobie świadomie przypomnieć albo wyrazić, znikają.

Miał wtedy ile — dziewięć, dziesięć lat? Siedział przy kuchennym stole, żując kanapkę z masłem orzechowym, podczas gdy matka bębniła palcami po blacie.

Skończyłeś? — zapytała.

Jeszcze nie skończył, na talerzu miał jeszcze pół kanapki i był głodny, ale pokiwał głową. Zawsze się zgadzać. To była pierwsza zasada.

Odstawiła jego talerz na inne stojące w zlewie.

Zobaczmy, powiedziała, wbijając nóż do mięsa w bok paczki i rozdzierając ją.

Czule rozłożyła części na podłodze. Cóż za niesamowita układanka. Rurki, kawałki giętego taniego metalu, gumowe podkładki, torebki ze śrubami i okuciami.

Zerkając co chwila do instrukcji, matka fragment

po fragmencie montowała stół. Kiedy dolne części nóżek zostały złożone i zaopatrzone w gumowe podkładki, na jej twarzy, którą zawsze bacznie obserwował, radość ustąpiła miejsca dezorientacji. Gdy jednak dołączyła górne fragmenty nóżek i wsporniki, a potem dokręciła śruby, jej twarz wyraźnie posmutniała. Ten smutek rozprzestrzenił się na całe ciało, rozlał na pokój.

Obserwuj uważnie: to druga zasada.

Matka wyjęła z kartonu blat i wstawiła go na miejsce.

Brzydki, tandetny, rozchybotany mebel.

W pokoju, na świecie zrobiło się nagle bardzo cicho. Ta cisza utrzymywała się przez dłuższy czas.

„Po prostu tego nie rozumiem", powiedziała matka.

Siedziała dalej na podłodze, obok niej leżały kombinerki i śrubokręty. Łzy płynęły jej po twarzy.

„W katalogu wyglądał tak ładnie. Tak ładnie. W ogóle nie był podobny do tego".

Rozdział dwudziesty szósty

Należący wcześniej do Jodiego ford F-150 był toporny jak taczka, niezawodny jak rdza i podatki, niezniszczalny jak czołg. Miał hamulce, które mogły zatrzymać w miejscu lawinę, i silnik dość mocny, by holować lodowiec. Jeśli spadną bomby i zetrą z powierzchni ziemi cywilizację, jaką znamy, dwie rzeczy wypełzną spod zgliszczy: karaluchy i F-150. Prowadziło się go jak wóz zaprzężony w woły, w trakcie jazdy plomby wypadały człowiekowi z zębów i miał permanentnie obolały tyłek, ale ten pojazd mógł przetrwać wszystko. Wykonywał robotę do końca, cokolwiek to było.

Podobnie jak on.

Kierowca prowadził upstrzoną silikonowymi łatkami czarną bestię drogą międzystanową numer 10, z powrotem do LA. Znalazł studencką stację, która puszczała duet Eddiego Langa i Lonniego Johnsona, George'a Barnesa, Parkera z Dolphym, Sidneya Becheta i Django. Zabawne, jak taki drobny sukces w rodzaju znalezienia stacji może wpłynąć na ogólne nastawienie. U fryzjera na Sunset kazał sobie ostrzyc włosy prawie do samej skóry. Obok kupił o kilka numerów za duże ubranie i zabudowane po bokach lustrzane okulary.

Pizzeria Nina wcisnęła się między piekarnię i sklep mięsny we włoskiej dzielnicy, w której stare kobiety siedziały na gankach i schodkach, a mężczyźni grali w domino na wystawionych na chodnik stolikach. W erze supermarketów, internetowych sklepów spożywczych i tak dalej Kierowca nie wiedział, że sklepy mięsne w dalszym ciągu istnieją.

Szczególnie dużo czasu spędzali u Nina dwaj faceci w ciemnych garniturach. Pojawiali się wczesnym rankiem, jedli śniadanie, siedzieli jakiś czas, po czym wychodzili. Godzinę później byli z powrotem. Czasami trwało to cały dzień. Jeden pił espresso, drugi zadowalał się winem.

Jeśli o to chodzi, stanowili studium przeciwieństw. Facet, który pił espresso, był młody. Zbliżał się do trzydziestki i miał krótko przycięte czarne włosy, nasmarowane czymś, co pod każdym względem wyglądało jak wazelina. Gdyby oświetlić ultrafioletem te włosy, z pewnością by zaświeciły. Spod mankietów spodni wystawały kanciaste czarne buty z zaokrąglonymi noskami. Pod marynarką miał granatową koszulkę polo.

Facet pijący wino, pięćdziesięciolatek, nosił ciemną elegancką koszulę ze złotymi spinkami, ale bez krawata, oraz czarne reeboki. Siwe włosy miał związane z tyłu w krótki kucyk. Podczas gdy jego młodszy partner stąpał statecznym, wymierzonym, m i ę s i s - t y m krokiem kulturysty, facet pijący wino jakby dryfował. Jakby miał na stopach mokasyny i dotykał ziemi co trzy, cztery kroki.

⊙ ⊙ ⊙

Drugiego dnia zaraz po śniadaniu kawiarz obszedł dookoła budynek, żeby zapalić. Głęboko się zaciągnął, zaczerpnął do płuc działającą powoli truciznę, wypuścił dymek i próbował się ponownie zaciągnąć, ale mu się nie udało.

Coś na jego szyi. Co to, kurwa, jest... drut? Łapie go, wiedząc, że to nic nie da. Ktoś stojący z tyłu mocno go ciągnie. A ciepło rozlewające się po klatce piersiowej to pewnie krew. Kiedy stara się spojrzeć w dół, jakiś krwawy skrzep, jego skrzep opada mu na pierś.

Więc to tak, myśli, tu w tej pierdolonej alejce, z gównem w gaciach. Niech to szlag.

Kierowca wcisnął talon do kieszeni marynarki kawiarza. Wcześniej zakreślił tam czerwonym atramentem słowa: *Dostawa do domu.*

⊙ ⊙ ⊙

Niech to szlag, powtórzył kilka minut później winiarz. Ochroniarz Nina przyprowadził go tu, kiedy jeden z kucharzy, który wyszedł opróżnić tłuszczownik, potknął się o Juniora.

Swoją drogą, jak miał na imię ich Junior?

Chłopak nie żyje, nie było co do tego wątpliwości. Wybałuszone oczy, popękane żyłki na całej twarzy. Język wystający niczym mięsisty korek.

Zdumiewające. Chłopak miał erekcję. Czasami wydawało się, że to wszystko, co można było powiedzieć o Juniorze.

— Panie Rose? — odezwał się ochroniarz.

A jak ten się nazywał? Przychodzili i odchodzili. Keith Jakiśtam.

Sukinsyn, pomyślał. Sukinsyn.

Nie żeby przejmował się specjalnie tym facetem, który potrafił być naprawdę upierdliwy, faszerując się żelazem, sokiem marchwiowym i sterydami. I wystarczającą ilością kofeiny, żeby zabić stado koni. Ale niech to szlag, ten, kto to zrobił, postawił ich w sytuacji, w jakiej nigdy nie powinni się znaleźć.

— Wygląda na to, że szef musi temu poświęcić więcej uwagi, panie Rose — powiedział za nim Keith Jakiśtam.

Winiarz stał z kieliszkiem w jednym ręku i talonem na pizzę w drugim. Zakreślony czerwonym atramentem krąg. *Dostawa do domu.*

— Powiedziałbym, że to już się stało.

Nie mogło minąć więcej niż parę minut. Jak daleko mógł zwiać ten sukinsyn? Ale to nie była sprawa na teraz.

Winiarz wychylił kieliszek.

— Chodźmy zawiadomić Nina — mruknął.

— Na pewno mu się to nie spodoba — powiedział Keith Jakiśtam.

— A komu by się, do diabła, spodobało?

☉ ☉ ☉

Berniemu Rose'owi diabelnie się nie spodobało.

— Więc poszczułeś psami tego faceta, a ja dowiaduję się o wszystkim dopiero wtedy, kiedy on wchodzi na moje podwórko i załatwia mojego partnera... Dobrze, że w naszej branży nie działają związki zawodowe. To są moje interesy, Nino. Wiesz o tym cholernie dobrze.

Nino, który nienawidził pasty we wszelkiej postaci, wsadził sobie do ust ostatniego czekoladowego croissanta i popił go earl greyem.

— Znamy się odkąd? Kiedy mieliśmy ile... sześć lat?

Bernie Rose nie odpowiedział.

— Zaufaj mi. To było załatwiane na boku, nie w związku z normalnymi interesami. Wydawało się sensowne zlecenie tego komuś z zewnątrz.

— Załatwianie spraw na boku to rzecz, przez którą zginiesz, Nino. Wiesz o tym.

— Czasy się zmieniają.

— Czasy z całą pewnością się cholernie zmieniły, skoro posyłasz amatorów, żeby kogoś uziemili, i nie uważasz za stosowne poinformować o tym własnych ludzi.

Bernie Rose nalał sobie kolejny kieliszek wina. Nazywał je dago red.

— Opowiadaj.

Gdyby pracował w branży filmowej, zapytałby o back story. Filmowcy mają ten swój własny słownik. Back story, retrospekcja, podtekst, flash forward, przeniesienie. Producenci, którzy za żadne skarby nie potrafiliby dokonać rozbioru zdania, lubią rozprawiać o „strukturze" scenariusza.

— To skomplikowane.

— Wierzę.

Bernie słuchał pilnie, kiedy Nino opowiedział mu o sfingowanym napadzie, który się nie udał, o facecie, który potraktował to osobiście, i o tym, co z tego wynikło.

— Dałeś dupy — oświadczył.

— Kolosalnie. Wiem o tym, wierz mi. Powinienem cię w to wprowadzić. Jesteśmy jedną drużyną.

— Już nie — powiedział Bernie Rose.

— Bernie...

— Stul dziób, Nino.

Bernie Rose nalał sobie kolejny kieliszek wina, kończąc butelkę. W dawnych czasach wsadziliby świeczkę w szyjkę, postawiliby na jednym ze stolików. Cholernie romantyczne.

— Powiem ci, jak to będzie wyglądać. Załatwię tego faceta, ale biorę to na siebie. I kiedy to zrobię, wynoszę się stąd. Zostanie tylko złe wspomnienie.

— Niełatwo tak po prostu odejść, przyjacielu. Jesteś związany.

Siedzieli bez ruchu, nie odrywając od siebie wzroku. Minęła dłuższa chwila, zanim Bernie Rose odpowiedział:

— Nie proszę cię o pierdolone pozwolenie, Izzy. — Fakt, że użył dziecięcego przezwiska Nina, czego nie zrobił nigdy przez wszystkie te lata, wywarł widoczny efekt. — Odzyskasz swoje pieniądze. Ciesz się.

— Nie chodzi o pieniądze...

— Chodzi o zasadę. Racja... Więc co teraz zrobisz? Zaczniesz pisać komentarze do „New York Timesa"? Wyślesz kolejnych amatorów?

— To nie będą amatorzy.

— Dzisiaj wszyscy są amatorami. Co do jednego. Kserokopiami Juniora z jego cholernymi tatuażami i ślicznymi małymi kolczykami. Ale to twoja decyzja, rób, co musisz.

— Zawsze to robię.

— Dwie sprawy.

— Słucham.

— Jeśli wyślesz za mną ludzi, jeśli ktokolwiek stąd wyśle za mną ludzi, możesz spodziewać się regularnych dostaw.

— I to jest ten Bernie Rose, który powiedział: „Nigdy nikomu nie grożę"?

— To nie jest groźba. Podobnie jak to, co powiem teraz.

— Tak? — Nino popatrzył mu prosto w oczy.

— Nie będziesz miał taryfy ulgowej ze względu na dawne czasy. Jeśli spojrzę w lusterko i zobaczę kogoś na tylnym siedzeniu, następną osobą, którą zobaczę, kiedy już się z tym uporam, będziesz ty.

— Bernie. Bernie. Jesteśmy przyjaciółmi.

— Nie. Nie jesteśmy.

⊙ ⊙ ⊙

Co o tym sądzić? Za każdym razem, kiedy wydaje ci się, że wiesz, co jest grane, świat gra ci na nosie i wraca na swoje tory, stając się ponownie niezrozumiały.

Kierowca żałował, że nie jest podobny do Manny'ego Gildena. Manny pojmował od razu rzeczy, których zrozumienie zajmowało innym całe tygodnie. „Intuicja — powtarzał — to wszystko intuicja, coś, czym zostałem obdarzony. Wszyscy myślą, że jestem cwany, ale to nieprawda. Coś we mnie łączy ze sobą te styki". Ciekawe, czy Manny dotarł do Nowego Jorku, czy, jak działo się to sześć czy siedem razy w ciągu tylu samo lat, i tym razem dał za wygraną.

Winiarz wyszedł, przyjrzał się z kamienną twarzą kawiarzowi, po czym wrócił do środka. Pół godziny później ponownie pojawił się w drzwiach i odjechał błękitnym lexusem.

Myśląc o tym, jak tam stał ze spuszczonym wzrokiem i kieliszkiem wina w ręku i jak wyglądał, wsiadając do lexusa, prawie nieważki, Kierowca po raz pierwszy zrozumiał, o czym mówił Manny.

Facet, który wszedł do środka, i facet, który stamtąd wyszedł, to byli dwaj różni ludzie. Coś się tam wydarzyło i zmieniło sytuację.

Rozdział dwudziesty siódmy

Bernie Rose i Isaiah Paolozzi dorastali w Brooklynie, we włoskiej dzielnicy wokół Henry Street. Z dachu, gdzie Bernie spędził znaczną część swoich chłopięcych lat, widać było z lewej strony Statuę Wolności, a z prawej most, który niczym wielki elastyczny pas spinał dwa różne światy. W czasach Berniego te dwa światy zaczęły się trochę mniej różnić, gdy rosnące astronomicznie czynsze na Manhattanie przegnały ludzi za rzekę, a czynsze na Brooklynie podniosły się w reakcji na popyt. Na Manhattan można było w końcu w ciągu zaledwie kilku minut dojechać linią F. W Cobble Hill, Boerum Hill oraz dolnym Park Slope obsługujące nowych mieszkańców modne restauracje wyrastały między zagraconymi składami używanych mebli i starymi obskurnymi bodegami.

Anegdoty o mafii opowiadano sobie w tej części miasta niczym najświeższe dowcipy.

Jedna z nowych mieszkanek, wyprowadzając psa, pozwoliła mu się załatwić na chodniku i spiesząc się na randkę, nie sprzątnęła kupy. Niestety, chodnik znajdował się przed domem matki mafiosa. Kilka dni później, wróciwszy do domu, młoda kobieta znalazła swojego psa wybebeszonego w wannie.

Inny facet, objeżdżający przecznicę po przecznicy i szukający miejsca do zaparkowania, zajął to, które się właśnie zwolniło. „Hej, tu nie wolno parkować, to prywatne miejsce!", zawołał do niego siedzący na ganku dzieciak. „Nie ma takiej rzeczy jak prywatne miejsca", odparł facet. Kiedy nazajutrz przydrałował osiem przecznic, żeby przestawić auto na drugą stronę ulicy, zrobić miejsce dla ekipy sprzątającej i dzięki temu uniknąć mandatu, samochodu nie było. Nigdy go już nie zobaczył.

Gdzieś w latach dziewięćdziesiątych Nino poczuł, że mu się to przejadło.

— To nie jest już moje miasto — powiedział Berniemu. — Co powiesz na Kalifornię?

Wydawała się całkiem niezłym pomysłem. Bernie nie miał tu zbyt dużo roboty. Interes kręcił się sam. Miał serdecznie dosyć starych facetów wołających go do swoich restauracji i stolików z dominem, żeby ponarzekać, dosyć watahy kuzynów, siostrzeńców i siostrzenic, którzy zaludniali cały Brooklyn. I wyżłopał dość espresso, żeby starczyło mu na całe życie. W dniu wyjazdu wypił ostatnią filiżankę. I nigdy już nie tknął espresso.

Nino szybko załatwił co trzeba. Sprzedał restaurację z czerwonymi wypukłymi tapetami oraz wytapirowanymi kelnerkami przybyszom, którzy planowali w niej zrobić „pałac sushi". Zostawił kioski z gazetami i nowe kafejki chi-chi dwóm siostrzeńcom. Wuj Lucius, naciskany przez żonę Louise, która za wszelką cenę chciała go się pozbyć z domu, przejął bar.

Jechali przez kraj wiśniowoczerwonym cadillakiem Nina, zatrzymując się kilka razy w ciągu dnia na hamburgery i steki i pogryzając przez resztę czasu chipsy, parówki, sardynki i kukurydziane chrupki. Wcześniej, kiedy mieli kilka razy powód, by zapuścić się na Manhattan, nawet on wydawał się obcym krajem. Brooklyn był całym światem. A teraz przemierzali dzikie ostępy Ameryki, zaglądając do jej najodleglejszych zakamarków.

— Zajebisty kraj — rzucił Nino. — Zajebisty kraj. Tu wszystko jest możliwe, wszystko...

Tak jakby. Kiedy ma się rodzinę, koneksje i pieniądze, wtedy pewnie. Niewiele się to różniło od politycznej maszynerii, która wyprodukowała tych wszystkich Kennedych i utrzymywała u władzy ludzi pokroju burmistrza Daleya. I od tej, która podstawiła pod koła republiki Reagana i obu Bushów, kiedy trzeba było zmienić opony.

— ...nawet jeśli odnosisz wrażenie — dodał Nino (jechali wtedy przez Arizonę) — że Bóg przykucnął tutaj, pierdnął i zapalił bździny zapałką.

Nino odnalazł się w ich nowym świecie, jakby mieszkał tam od urodzenia, przejmując sieć pizzerii, gastronomiczne koncesje w galeriach handlowych, bukmacherów i zakapiorów. Tak jakby w ogóle znikąd nie wyjeżdżali, myślał Bernie, tyle że wyglądając teraz przez okno, nie widzieli biegnących estakadami torów i malowanych na murach reklam restauracji, widzieli błękitne niebo i palmy.

Bernie Rose wszystkiego tego nienawidził. Nienawidził niekończącej się parady pogodnych dni, tęsknił za porami roku i deszczem, nienawidził zakorkowanych ulic i autostrad, nienawidził wszystkich tych tak zwanych społeczności lokalnych, Bel Air, Brentwood, Santa Monica, broniących swojej suwerenności, mimo że wysysały soki z LA.

Nigdy nie uważał się za osobę polityczną, ale niech tam.

Chodzi o to, że stał się przez to łagodniejszy. Przychodził odebrać dług do domu z prefabrykatów albo sklepiku, za który jakiś idiota zapłacił dwa miliony, i nie mógł się pozbyć tej łagodności. Próbował zrozumieć, próbował postawić się w sytuacji innych. „Zrobiłeś się miękki, chłopcze", powiedział mu wujek Ivan — jedyna osoba na Wschodnim Wybrzeżu, z którą utrzymywał kontakt. Ale to była nieprawda. Dostrzegał po prostu, że pewni ludzie nigdy nie mieli najmniejszej szansy i nigdy jej nie dostaną.

W China Belle, siedząc przy swojej trzeciej filiżance zielonej herbaty i skubiąc sajgonkę zbyt gorącą, by można ją było zjeść, Bernie myślał o facecie, który wziął na celownik Nina.

— Wszystko w porządku, panie Rose? — zapytała jego ulubiona kelnerka Mai June. (Mój ojciec nie miał nic poza poczuciem humoru, z którego był niezmiernie dumny, powiedziała, kiedy zapytał o jej imiona). Jak wszystko, co mówiła, nawet tak fatyczna wypowiedź, z jej melodią i wznoszącym się tonem zabrzmiała jak wiersz lub utwór muzyczny. Zapewnił ją, że jedzenie jest jak zwykle znakomite. Chwilę później przyniosła mu jego entrée, krewetki w pięciu smakach.

No dobrze. Trzeba to powiedzieć bez ogródek. Tu w krainie czarów Nino zaczął się uważać za jakiegoś cholernego producenta, już nie zwykłego usługodawcę (a był jednym z najlepszych), lecz za kogoś rozdającego karty. Takie nieuzasadnione aspiracje brały się z tutejszej wody i powietrza, z tego bezustannie prażącego słońca. Wżerało się to w ciebie jak wirus i nie puszczało, piesek z amerykańskiego marzenia stawał się dzikim psem dingo. Dlatego Nino zmontował ten skok albo został do niego przez kogoś namówiony, a potem nadał go tej samej osobie. Reżyser skompletował ekipę i wprowadził do niej kierowcę.

Pójście tym tropem nie powinno być dla Berniego zbyt trudne. Nie żeby od razu wiedział, do kogo zadzwonić, ale nie będzie miał problemów ze zdobyciem numerów. Da oczywiście do zrozumienia, że sam jest kimś, kto rozdaje karty, kto ma przygotowaną poważną robotę, tyle że potrzebuje kierowcy, najlepszego, jakiego można znaleźć.

Mai June pojawiła się przed nim, dolała herbaty i zapytała, czy życzy sobie czegoś jeszcze.

— Fantastyczne krewetki — powiedział. — Epickie.

◉ ◉ ◉

Kiedy Bernie objadał się sajgonkami i krewetkami w pięciu smakach, Kierowca zbliżał się do jego lexusa, który stał obok na pustym parkingu. Auto miało fabryczny alarm, ale nie został aktywowany.

Ulicą przejechał radiowóz i na chwilę zwolnił. Kierowca oparł się o maskę, jakby to była jego własna bryka, i usłyszał trzask radia. Radiowóz odjechał.

Kierowca wyprostował się i stanął przy oknie lexusa.

Na kierownicę założona była blokada — Kierowca nie zamierzał jednak korzystać z samochodu i opuszczenie szyby nie zajęło mu nawet minuty. Wnętrze było nieskazitelne, fotele czyste i puste. Nic na podłodze. Nieliczne śmieci, kubek, chusteczki higieniczne oraz długopis wsunięte schludnie do zawieszonej pod tablicą rozdzielczą torebki z dermy.

Ze znalezionego w schowku na rękawiczki dowodu rejestracyjnego dowiedział się, czego chciał.

Bernard Wolfe Rosenwald.

Zamieszkały przy jednej z tych ulic o leśnej nazwie w Culver City, pewnie w apartamentowcu z tandetną bramą.

Kierowca przylepił do kierownicy jeden z kuponów pizzerii. Narysował na nim wcześniej uśmiechniętą buźkę.

Rozdział dwudziesty ósmy

Jego oczy pobiegły ku wiszącym na wieszaku nad łóżkiem plastikowym kroplówkom, których było sześć. Niżej bateria pomp. Musiały być nastawiane mniej więcej co godzina. Jedna z nich już teraz wydawała sygnał alarmowy.

— Co jest, kolejny cholerny gość?

Kierowca rozmawiał wcześniej z siostrą dyżurną, która powiedziała mu, że nie było innych odwiedzających. Poinformowała go również, że jego przyjaciel umiera.

Doktor wskazał drżącą ręką kroplówki.

— Osiągnąłem więc magiczną liczbę.

— Co takiego?

— Jeszcze w akademii medycznej zawsze powtarzaliśmy, że kiedy masz w piersi sześć cewników, sześć kroplówek, wtedy jest już po wszystkim. W tym momencie cała reszta to tylko jałowa krzątanina.

— Jeszcze wrócisz do zdrowia.

— Zdrowie to miasto, do którego się już nie wybiorę.

— Jest ktoś, do kogo powinienem zadzwonić? — zapytał Kierowca.

Doktor pokazał mu gestem, że chciałby coś zanotować. Na stole leżała podkładka do pisania. Kierowca podał mu ją.

— To numer w LA, tak?

Doktor pokiwał głową.

— Do mojej córki.

Kierowca próbował się do niej dodzwonić z jednego z automatów w holu.

Dziękujemy za skontaktowanie się. Państwa telefon jest dla nas ważny. Proszę zostawić wiadomość.

Powiedział, że dzwoni z Phoenix i że jej ojciec jest poważnie chory. Zostawił nazwę szpitala i numer własnego telefonu.

Kiedy wrócił, w telewizji leciała telenowela po

hiszpańsku. Przystojny młody mężczyzna bez koszuli wyczołgał się właśnie z bagna i odrywał od muskularnych nóg pijawki.

— Nie odebrała. Zostawiłem wiadomość.

— Nie oddzwoni.

— Może oddzwoni.

— Dlaczego miałaby to zrobić?

— Bo jest twoją córką?

Doktor potrząsnął głową.

— Jak mnie znalazłeś?

— Poszedłem do ciebie. Miss Dickinson była na zewnątrz i kiedy otworzyłem drzwi, wpadła do środka. Macie swoje utarte zwyczaje. Jeśli ona tam była, ty też powinieneś. Zacząłem pukać do sąsiadów i wypytywać. Dzieciak po drugiej stronie ulicy powiedział, że przyjechała karetka i cię zabrała.

— Nakarmiłeś Miss Dickinson?

— Tak.

— Dziwka dobrze nas wszystkich wytresowała.

— Jest coś, co mogę dla ciebie zrobić, Doktorze?

Jego oczy pobiegły ku oknu. Potrząsnął głową.

— Pomyślałem sobie, że możesz tego potrzebować — powiedział Kierowca, podając mu piersiówkę. — Spróbuję jeszcze raz dodzwonić się do twojej córki.

— Nie ma powodu, żebyś to robił.

— Mogę cię jeszcze odwiedzić?

Doktor podniósł piersiówkę do ust, a potem opuścił ją.

— Też nie ma większego powodu.

Kierowca podszedł do drzwi. Kiedy sięgał za klamkę, Doktor zapytał:

— Jak twoja ręka?

— W porządku.

— Ja też byłem w porządku — powiedział Doktor. — Ja też.

Rozdział dwudziesty dziewiąty

Ten sukinsyn zaczynał go wkurzać.

Bernie Rose wyszedł z China Belle, dłubiąc w zębach. Ciasteczko z wróżbą wyrzucił do śmietnika. Nawet jeśli to cholerstwo powiedziałoby mu prawdę, kto przy zdrowych zmysłach chciałby ją znać?

Zdarłszy talon z kierownicy, zmiął go w kulę i posłał w ślad za ciasteczkiem.

Pizza. No tak.

Z China Belle pojechał do domu, do Culver City, niedaleko dawnej wytwórni MGM, teraz Sony-Columbia. Jesus, trzymając w jednej ręce hamburgera, uniósł dwa palce drugiej do skroni w geście powitania, po czym wcisnął przycisk otwierający bramę. Bernie pozdrowił go uniesionym kciukiem. Ciekawe, czy

Jesus wiedział, że udało mu się całkiem nieźle skopiować skautowski salut.

Ktoś wsunął pod drzwi tuzin ulotek z różnych pizzerii. Pizza Hut, Mother's, Papa John's, Joe's Chicago Style, Pizza Inn, Rome Village, Hunky-Dory Quick Ital, The Pie Place. Sukinsyn objechał prawdopodobnie całą okolicę, zabierając je spod drzwi sąsiadów. Na każdej z nich zakreślił słowa *Dostawa do domu*.

Bernie nalał sobie szkockiej i padł na sofę z odchylonym oparciem. Obok niej stał fotel, za który zapłacił ponad tysiąc dolców i który miał korygować wszelkie problemy z kręgosłupem, ale nie mógł wytrzymać w tym cholerstwie, miał wrażenie, że siedzi w rękawicy baseballisty. Dlatego choć minął już rok, mebel pachniał jak nowy samochód. Sam zapach był w porządku.

Nagle poczuł się zmęczony.

A para mieszkająca obok znowu zaczęła swoje hocki-klocki. Przez chwilę siedział, słuchając, a potem wypił kolejną szkocką, wyszedł i zapukał do drzwi mieszkania 2-D.

— Tak?

Lenny był niskim, czerwonym na twarzy facetem, który miał zabrać ze sobą do grobu swój dziecięcy tłuszczyk.

— Bernie Rose, z sąsiedniego mieszkania.

— Wiem, wiem. O co chodzi? Jestem trochę zajęty.

— Słyszałem.

Facet zmienił się na twarzy. Próbował zamknąć drzwi, ale Bernie złapał za krawędź i przycisnął do nich przedramię. Facet poczerwieniał jeszcze bardziej, starając się je pchnąć, jednakże Bernie bez trudu mu to uniemożliwił. Muskuły na jego ręku naprężyły się jak kable.

Po chwili otworzył drzwi szerzej.

— Co jest, ku...?

— Nic ci nie jest, Shonda? — zapytał Bernie.

Skinęła głową, nie patrząc mu w oczy. Tym razem facet nie przeszedł przynajmniej do fazy fizycznej. Jeszcze nie.

— Nie możesz...

Bernie złapał sąsiada za gardło.

— Jestem cierpliwym człowiekiem, Lenny, i nie lubię wchodzić w drogę innym. Rozumiem, że każdy ma swoje życie, prawda? I prawo do odrobiny intymności. Więc siedzę tam już prawie od roku, słuchając, co się tu wyprawia, i myślę sobie: Hej, to porządny facet, poradzi sobie z tym. Poradzisz sobie z tym, Lenny?

Bernie zakołysał ręką w nadgarstku, co spowodowało, że jego sąsiad pokiwał głową.

— Shonda to dobra kobieta. Powinieneś się cieszyć, że ją masz, powinieneś się cieszyć, że tak długo z tobą wytrzymuje. Powinieneś się cieszyć, że ja z tobą wytrzymuję. Ona ma ważny powód: kocha cię. Ja nie mam żadnych powodów.

To było głupie, pomyślał Bernie, wracając do swojego mieszkania i nalewając sobie kolejną szkocką.

W sąsiednim mieszkaniu zapadła cisza. Kanapa z odchylonym oparciem powitała go tak, jak robiła to zawsze.

Czyżby zostawił włączony telewizor? Nie pamiętał, żeby go w ogóle włączał, lecz oto leciał w nim jeden z tych modnych ostatnio prawniczych programów, Sędzia Taki czy Inny, w których sędziowie przedstawieni byli w karykaturalny sposób (oschli, sarkastyczni, pochodzący z Nowego Jorku albo Teksasu, z gęstym niczym lukier akcentem), a uczestnicy albo tak głupi, że cieszyła ich możliwość zaprezentowania swojej głupoty całemu krajowi, albo tak nieświadomi, że nie mieli pojęcia, co wyprawiają.

Kolejna rzecz, która przyprawiała Berniego o zmęczenie.

Nie wiedział, czy to on się tak zmienił, czy zmienił się świat wokół niego. Zdarzały się dni, że prawie go nie poznawał. Jakby zrzucono go ze statku kosmicznego i zachowywał tylko pozory, starał się dopasować, udawał kogoś, kto tu należał. Wszystko zrobiło się takie tandetne, krzykliwe i płytkie. Człowiek kupuje dzisiaj stół i dostaje jedną ósmą cala sośniny wprasowanej w płytę pilśniową. Kupuje fotel za tysiąc dwieście dolarów i dostaje coś, na czym nie można usiąść.

Bernie poznał w życiu dość wypalonych facetów, ludzi, którzy zaczęli się zastanawiać, co takiego robią i dlaczego to w ogóle ma jakieś znaczenie. Na ogół wkrótce potem znikali. Trafiali za kratki za stare grzechy, tracili czujność i dawali się załatwić komuś, kogo mieli sprzątnąć, bywali usuwani przez własnych ludzi. Bernie nie uważał, że jest wypalony. Kierowca z całą pewnością nie był.

Pizza. Nienawidził pierdolonej pizzy.

Skoro już o tym mowa, było to całkiem zabawne, biorąc pod uwagę plik ulotek wsuniętych pod jego drzwi.

Rozdział trzydziesty

W dzieciństwie Kierowca prawie przez cały rok miał noc w noc ten sam sen. Siedział z boku domu, opierając się stopami o gzyms na pierwszym piętrze, które znajdowało się jakieś osiem stóp nad ziemią, bo dom stał na zboczu. Pod sobą miał niedźwiedzia. Zwierzę próbowało go dosięgnąć, podciągało się po futrynie okna i po chwili sfrustrowane zrywało z rabatki przed domem tulipana lub irysa i zjadało go. A potem znowu usiłowało dorwać Kierowcę. Na koniec niedźwiedź zrywał kolejnego tulipana, wpadał w zadumę i podawał go Kierowcy. Ten sięgał po niego i w tym momencie zawsze się budził.

To działo się w Tucson, kiedy mieszkał u Smithów. Jego najlepszym przyjacielem był wtedy Herb Danziger. Herb miał fioła na punkcie samochodów, naprawiał je na swoim podwórku i nieźle na tym zarabiał, więcej niż jego ojciec ochroniarz i matka pielęgniarka razem wzięci. Zawsze stał u niego z podniesioną maską ford rocznik 1948 albo chevrolet rocznik 1955, a na plandece obok leżała połowa wymontowanych z niego części. Herb miał jeden z tych grubych niebieskich poradników naprawy samochodów Chiltona, ale Kierowca ani razu w ciągu tych wszystkich lat nie widział, żeby do niego zaglądał.

Do pierwszej i jedynej bójki Kierowcy w nowej szkole doszło, kiedy miejscowy zabijaka podszedł do niego na szkolnym boisku i powiedział, że nie powinien się zadawać z Żydami. Kierowca zdawał sobie mgliście sprawę, że Herb jest Żydem, ale jeszcze bardziej niezrozumiałe wydawało mu się, że ktoś może robić z tego powodu problem. Ów zabijaka lubił pstrykać ludzi w uszy środkowym palcem i kciukiem. Kiedy spróbował tego tym razem, Kierowca złapał go jedną ręką za nadgarstek, a drugą bardzo precyzyjnie złamał chłopakowi kciuk.

Herb brał również udział w wyścigach samochodowych na pustyni między Tucson i Phoenix, w tym naprawdę dziwacznym krajobrazie zamieszkanym przez dziesięciostopowe wiry pyłowe, kaktusy cholla wyglądające jak zagubione podwodne rośliny, a także wielkie saguaro z łodygami wzniesionymi ku niebu niczym palce ludzi na dawnych religijnych malowidłach i dziuplami, w których znajdowały schronienie pokolenia ptaków. Tor zbudowali młodzi Latynosi, którzy, jak głosiła plotka, kontrolowali przemyt marihuany z Nogales. Herb był tam outsiderem, ale mile widzianym jako świetny kierowca i mechanik.

Zabierając ze sobą na początku Kierowcę, Herb wysyłał go na tor w samochodach, przy których aktualnie pracował, żeby zobaczyć ich osiągi. Kiedy jednak Kierowca w tym zasmakował, nie można było oderwać go od kierownicy. Zaczął dawać samochodom w kość, zmuszać je, by dały z siebie wszystko, sprawdzać, co w nich drzemie. Wkrótce stało się jasne, że jest urodzonym kierowcą. Herb przestał jeździć i zostawał od tej pory w boksie. Rozkładał samochody na części i składał je z powrotem, tak samo jak buduje się mięsień; Kierowca zabierał je w szeroki świat.

Na tym torze poznał swego jedynego poza Herbem

bliskiego przyjaciela, Jorgego. Odnalazłszy jedyną rzecz, w której już zawsze miał być dobry, Kierowca podziwiał kogoś takiego jak Jorge, który bez większego wysiłku wydawał się dobry we wszystkim. Grał na gitarze i akordeonie w miejscowym *conjunto*, pisał własne piosenki, świetnie jeździł, był wyróżniającym się uczniem, śpiewał solo w kościelnym chórze, pracował z nieletnimi przestępcami w schronisku. Jeśli Jorge miał jakąś koszulę poza tą, którą wkładał do kościoła, Kierowca nigdy jej nie widział. Zawsze chodził w jednym z tych staroświeckich prążkowanych podkoszulków, czarnych dżinsach i szarych kowbojskich butach. Mieszkał w South Tucson w rozpadającym się, ciągle remontowanym domu wraz z trzypokoleniową rodziną i nieokreśloną liczbą dzieci. Kierowca przesiadywał tam, zajadając domowe tortille, odsmażaną fasolę, *burritos* i gulasz wieprzowy z *tomatillos*, siedząc wśród ludzi gadających w języku, którego nie rozumiał. Ale był przyjacielem Jorgego i z tego względu również należał do rodziny, nikt tego nie kwestionował. Sędziwa *abuela* Jorgego zawsze pierwsza wychodziła na gliniany podjazd, żeby go powitać. Prowadziła go do środka, trzymając pod łokieć, jakby wybrali się na spacer po promenadzie, przez cały czas z ożywieniem trajkocząc. Na tyłach domu często można było spotkać pijanych mężczyzn z guitarronami, gitarami, mandolinami, skrzypcami, akordeonami, trąbkami i czasami tubą. Tam również Kierowca nauczył się posługiwać bronią. Późnym wieczorem mężczyźni zbierali się i wychodzili na pustynię, żeby ćwiczyć strzelanie do celu, przy czym słowa „ćwiczyć" oraz „do celu" były w dużym stopniu eufemizmami. Pociągając piwo z sześciopaków, i buchanana z butelek, grzali do wszystkiego, co było widać. Ale mimo całej widocznej beztroski, z jaką się nimi posługiwali, same narzędzia traktowali ze śmiertelną powagą. Kierowca dowiedział się od nich, jak bardzo trzeba szanować te małe urządzenia, jak trzeba je czyścić i składać, dlaczego pewne pistolety są preferowane, jakie mają unikatowe cechy i wady. Część młodych ludzi wolała inne rzeczy, takie jak noże, boks i sztuki walki. Kierowca, zawsze uważnie obserwujący i szybko się uczący, od nich też nauczył się tego i owego, podobnie jak po wielu latach nauczył się tego i owego od kaskaderów i ludzi walczących w filmach, przy których pracował.

Rozdział trzydziesty pierwszy

Załatwił Nina o szóstej rano w poniedziałek. W prognozie zapowiadali wzrost temperatury do przyjemnych dwudziestu ośmiu stopni, lekkie zachmurzenie od wschodu i czterdziestoprocentowe prawdopodobieństwo deszczu w ciągu tygodnia. Isaiah Paolozzi wyszedł w kapciach i cienkim pasiastym szlafroku przez frontowe drzwi swojego domu w Brentwood z podwójną misją. Po pierwsze miał zamiar zabrać poranne wydanie „LA Timesa" z podjazdu. Po drugie włączyć zraszacze. Nieważne, że każda kropla wody z tych zraszaczy była skradziona innym. Nie da się inaczej zmienić pustyni w pofalowane zielone trawniki.

Nieważne, że całe życie Nina było skradzione innym.

Kiedy Nino pochylił się, żeby podnieść gazetę, Kierowca wyszedł z niszy za frontowym drzwiami. Nino odwrócił się i go zobaczył.

Stojąc naprzeciwko siebie, żaden nawet nie mrugnął.

— Czy my się znamy?

— Rozmawialiśmy raz — odparł Kierowca.

— Tak? A o czym?

— O sprawach, które mają znaczenie. O tym, że kiedy człowiek się na coś umawia, powinien tego dotrzymać.

— Przykro mi. Nie pamiętam cię.

— Co za niespodzianka.

Idealna okrągła dziura między oczyma. Nino zatoczył się na uchylone frontowe drzwi, otwierając je na oścież. Jego stopy pozostały na ganku. Żylaki na nogach przypominały grube niebieskie węże. Z jednej stopy spadł kapeć. Paznokcie u nóg miał grube jak deski.

Gdzieś w środku domu radio nadawało poranne komunikaty drogowe.

Kierowca położył na piersi Nina pudełko z dużą pepperoni z podwójnym serem, bez anchois.

Pizza przyjemnie pachniała.

Nino nie.

Rozdział trzydziesty drugi

Wszystko wyglądało dokładnie tak, jak zapamiętał.

Są na świecie miejsca, pomyślał, wszystkie te zakątki egzystencji, w której prawie nic się nie zmienia. Oczka wodne w nadmorskich skałach. Zadziwiające.

Zakładał, że pan Smith był w pracy, a pani Smith na jednym ze swoich nigdy niekończących się zebrań. Kościelnych, rady szkolnej, miejscowych organizacji dobroczynnych.

Zajechał pod dom.

Sąsiedzi wyglądali na pewno przez okna, odginając palcami listewki żaluzji, zastanawiając się, jaki interes może mieć do Smithów ktoś jeżdżący klasycznym stingrayem.

Zobaczyli młodego człowieka, który wysiadł z samochodu, obszedł go dookoła, otworzył drzwi od strony pasażera i wyjął stamtąd nową klatkę do przewozu kotów oraz sfatygowany marynarski worek. Postawił te dwa przedmioty na ganku, podszedł do drzwi i po chwili je otworzył. Patrzyli, jak bierze klatkę i marynarski worek i wchodzi do środka. Zaraz potem pojawił się znów na podjeździe, wsiadł do stingraya i odjechał.

Pamiętał, jak to wyglądało: wszyscy wiedzieli, czym zajmowali się inni, nikt nie miał przed nikim żadnych sekretów, wielu wierzyło, że jedynie oni prowadzą autentyczne, prawdziwe życie, a cała reszta tylko udaje.

Oprócz klatki z kotem i marynarskiego worka zostawił list.

Nazywa się Miss Dickinson. Nie mogę powiedzieć, że należała do mojego przyjaciela, który właśnie umarł, bo koty nie należą do nikogo, lecz oboje pokonywali ten sam trudny szlak, ramię przy ramieniu, przez dłuższy czas. Zasługuje na to, by spędzić ostatnie lata życia we względnym bez-

pieczeństwie. *Podobnie jak Wy. Proszę, zaopiekuj-cie się Miss Dickinson podobnie jak zaopiekowaliś-cie się kiedyś mną, i proszę, przyjmijcie te pieniądze* **w duchu, w jakim są ofiarowywane.** *Zawsze uwierało mnie, że odchodząc, zabrałem Wam samochód. Nie miejcie wątpliwości, że doceniam to, co dla mnie zrobiliście.*

Rozdział trzydziesty trzeci

To nie mogło być łatwe dla jego ojca. Tak naprawdę Kierowca niewiele z tego pamiętał, ale nawet wtedy, jako dziecko, u zarania swojego życia, wiedział, że coś jest nie w porządku. Kładła na stole jajka, które zapomniała ugotować, otwarte puszki ze spaghetti i sardynkami i mieszała wszystko razem, podawała talerz majonezu i sandwicze z cebulą. Przez jakiś czas miała obsesję na punkcie owadów. Za każdym razem, kiedy widziała, jak któryś pełznie, nakrywała go szklanką i zostawiała, żeby zdechł. Później (jak określał to jego ojciec) „skumała się" z pająkiem, który utkał sieć w kącie małej łazienki, gdzie udawała się każdego ranka, żeby nałożyć podkład, tusz do rzęs, róż i fluid tworzące maskę, bez której nie odważyłaby się pokazać światu. Łapała ręką muchy i ciskała je w pajęczynę, łowiła w nocy świerszcze i ćmy i dawała pająkowi. Jeśli kiedykolwiek wychodziła z domu, zaraz po powrocie zaglądała do Freda. Pająk miał nawet swoje imię.

Kiedy w ogóle odzywała się do syna, nazywała go po prostu chłopcem. Może pomóc ci odrobić lekcje, chłopcze? Masz dosyć ubrań, chłopcze? Lubisz te małe puszki z tuńczykiem na drugie śniadanie, prawda, chłopcze? I krakersy?

Nigdy niestąpająca twardo po ziemi, unosiła się nad nią coraz wyżej, aż w końcu uznała się za kogoś zupełnie od niej oderwanego, znajdującego się nie tyle ponad światem, ile kilka kroków z boku.

A potem ten wieczór przy kolacji, kiedy stary pluł krwią na talerz. Na którym leżało już jego ucho podobne do kawałka mięsa. Kanapka Kierowcy z mielonką i galaretką miętową na grzance. I matka, która tak starannie odłożyła nóż do mięsa i nóż do chleba, idealnie jeden przy drugim, już ich nie potrzebując.

Przykro mi, synu.

Czy to mogło być prawdziwe wspomnienie? A skoro tak, dlaczego dopiero teraz wypłynęło? Czy matka mogła rzeczywiście to powiedzieć? Odezwać się do niego w ten sposób?

Wytwór wyobraźni czy wspomnienie, niech płynie.

Proszę.

Chyba tylko skomplikowałam ci życie. Nie tego się spodziewałam... Wszystko się tak poplątało.

— Nic mi nie będzie. Co się teraz stanie z tobą, mamo?

Nic, co nie stało się już wcześniej. Przyjdzie czas, że zrozumiesz.

Wytwór wyobraźni. Jest tego raczej pewien.

Lecz teraz ma jej ochotę powiedzieć, że choć minęło sporo czasu, w dalszym ciągu nie rozumie. Nigdy nie zrozumie.

Tymczasem podjechał swoim nowym autem do ostatniego z lokalnych miejsc zamieszkania. Nazwa: Blue Flamingo Motel. Tygodniowe stawki, pustka dookoła, rozległy parking, łatwy dostęp do głównych arterii i autostrad międzystanowych.

Rozpakowawszy się, nalał sobie na dwa palce buchanana. Odgłosy jadących samochodów i grającej w sąsiednich pokojach telewizji. Warkot, grzechot, chrzęst i łoskot deskorolek na parkingu, który najwyraźniej upodobały sobie dzieciaki z sąsiedztwa. Furkotanie łopat policyjnego lub nadzorującego ruch helikoptera. Rury brzęczące w ścianach za każdym razem, kiedy inni goście brali prysznic albo korzystali z toalety. Kierowca podniósł słuchawkę po pierwszym dzwonku.

— Słyszałem, że sprawa jest załatwiona — powiedział jego rozmówca.

— O tyle, o ile można ją załatwić.

— A jego rodzina?

— Wciąż smacznie śpią.

— No tak. Sam Nino nigdy dużo nie spał. Mówiłem mu, że to sumienie gniecie go swoimi kościstymi paluchami, ale twierdził, że nie ma sumienia.

Chwila ciszy.

— Nie zapytałeś, skąd wiem, gdzie jesteś.

— Taśma na dole drzwi. Przylepiłeś ją z powrotem, ale nigdy już tak dobrze się nie trzyma.

— Więc wiedziałeś, że będę dzwonił.

— Biorąc pod uwagę okoliczności, raczej prędzej niż później.

— Jesteśmy trochę żałośni, prawda, my obaj?

Otoczeni całą tą supernowoczesną technologią polegamy na kawałku samoprzylepnej taśmy.

— Jedno narzędzie jest podobne do drugiego pod warunkiem, że spełnia swoją funkcję.

— Tak, wiem coś o tym. Przez całe życie byłem czymś w rodzaju narzędzia.

Kierowca się nie odezwał.

— Chuj z tym. Zrobiłeś to, co trzeba było zrobić. Nino nie żyje. Mamy jeszcze coś na talerzu? Widzisz jakiś powód, żeby to trwało dalej?

— Nie musi.

— Masz jakieś plany na dziś wieczór?

— Nic, z czego nie mógłbym zrezygnować.

— To dobrze. Powiem ci, co myślę. Spotkamy się, wypijemy parę drinków, może zjemy razem kolację.

— Możemy się spotkać, jasne.

— Znasz Warszawę? Polska knajpa, na rogu Lincoln i Santa Monica Boulevard?

Jedna z najbrzydszych ulic w mieście, gdzie jest wiele, wiele brzydkich ulic.

— Znajdę ją.

— Chyba że upierasz się przy pizzy.

— Zabawne.

— Tak. Rzeczywiście zabawne. Wszystkie te talony. Knajpa... nazywa się Warszawa, zapamiętałeś...? Ma parking, na którym zatrzymują się również klienci sklepu z dywanami, ale bez obawy, jest sporo miejsca. O której? Siódmej? Ósmej? O której ci pasuje?

— Może być o siódmej.

— To mały lokal, nie mają tam baru, przy którym można by zaczekać. Wejdę do środka i zajmę stolik.

— Brzmi rozsądnie.

— Czas, żebyśmy się spotkali.

Kierowca odłożył słuchawkę telefonu i nalał sobie ponownie kilka cali buchanana. Zbliżało się południe, pora, kiedy większość zacnych ludzi w mieście myśli o tym, żeby urwać się z roboty i wyskoczyć na lunch albo jakiś skwerek. Zadzwonić do domu, zapytać, co u dzieci, postawić forsę u bukmachera, umówić się z kochanką. Motel był pusty. Kiedy do drzwi zapukała pokojówka, powiedział, że nie musi dzisiaj sprzątać.

Przypomniał sobie okres zaraz po swoim przyjeździe do LA. Całe tygodnie szamotania się, żeby nie wylądować na ulicy, żeby nie paść ofiarą krążących w pobliżu rekinów, padlinożerców i gliniarzy, szamotania się, żeby nie zginąć, utrzymać się na powierzchni.

Wieczna nerwówka. Gdzie będzie mieszkał? Jak zarobi na życie? Czy nie pojawi się nagle policja z Arizony i nie zawlecze go z powrotem do Tucson? Mieszkał, spał i jadł w galaxie, bez przerwy lustrując wzrokiem ulicę, pobliskie dachy i okna, i znowu ulicę, zerkając w tylne lusterko, śledząc wzrokiem cienie w alejce.

A potem ogarnął go nagle wielki spokój.

Któregoś dnia otworzył oczy i jakimś cudem poczuł, że w sercu ma lekkość. Zamówił jak zwykle podwójną kawę w pobliskim rodzinnym sklepiku, przycupnął na niskim murku naprzeciwko żywopłotu, o który pozaczepiały się papierki i plastikowe torby na zakupy, i zdał sobie sprawę, że już od godziny siedzi tam i nie myśli o... no tak, nie myśli o niczym.

O tym właśnie mówią ludzie, kiedy używają takich słów jak łaska.

Tamten moment, tamten ranek widział wyraźnie przed oczyma za każdym razem, kiedy o tym myślał. Ale wkrótce zaczęły się wątpliwości. Rozumiał dość dobrze, że życie z samej definicji jest niepokojem, ruchem, drżeniem. To, co temu zaprzecza i co jest z tym niezgodne, nie może być życiem, musi być czymś innym. Czyżby utkwił w jakiejś odmianie tego abstrakcyjnego, zawieszonego w próżni nie-świata, w którym ulatniało się niepostrzeżenie życie jego matki? Na szczęście mniej więcej wówczas poznał Manny'ego Gildena.

I teraz, podobnie jak wtedy, wiele lat temu, dzwoni do Manny'ego z budki telefonicznej przy rodzinnym sklepiku. Pół godziny później spacerują brzegiem morza przy drodze do Santa Monica, rzut kamieniem od Warszawy.

— Kiedy się poznaliśmy i byłem jeszcze dzieciakiem... — zaczął Kierowca.

— Patrzyłeś ostatnio w lustro? Wciąż jesteś pieprzonym dzieciakiem.

— ...powiedziałem ci wtedy, że ogarnął mnie spokój i że to mnie przeraziło. Pamiętasz?

Każde uderzenie fali wyrzucało na brzeg muzeum amerykańskiej kultury w miniaturze, wypatroszoną kapsułę czasu — torebki po hamburgerach, puszki po piwie i coli, zużyte kondomy, kartki z czasopism, artykuły odzieżowe.

— Pamiętam. Przekonasz się, że tylko szczęśliwi są w stanie zapomnieć.

— Brzmi ponuro.

— To kwestia ze scenariusza, nad którym pracuję.

Przez chwilę żaden z nich się nie odzywał. Szli plażą otoczeni całym tym zwyczajnym, kipiącym życiem, którego nigdy nie zaznali i w którym nigdy nie uczestniczyli. Skaterzy, pakerzy i mimowie, armie beztroskich młodych ludzi, na zmianę poprzekłuwanych albo wytatuowanych, piękne kobiety. Najnowszy projekt Manny'ego dotyczył Holocaustu i pomyślał o Paulu Celanie: „A była ziemia w nich, i kopali"*. Ci ludzie, nie wiedzieć czemu, wyglądali, jakby kopali za darmo.

— Mówiłem ci o moim opowiadaniu o Borgesie i Don Kichocie — powiedział do Kierowcy. — Borges pisze o tej wielkiej żądzy przygód, o Don Kichocie wyruszającym, żeby zbawić świat.

— Nawet jeśli to tylko kilka wiatraków.

— I parę świń.

— I w końcu mówi: „Świat jest niestety realny. Ja jestem niestety Borgesem".

Kiedy wrócili na parking, Manny podszedł do zielonego porsche i otworzył go.

---

* Paul Celan, *A była ziemia w nich*, w: *Utwory wybrane*, tłum. Feliks Przybylak, Wyd. Literackie, Kraków 1998.

— Masz porsche? — zdziwił się Kierowca. Chryste, nie sądził nawet, że Manny umie jeździć. To, jak mieszkał i jak się ubierał. Jak prosił Kierowcę, żeby go zawiózł do Nowego Jorku.

— Dlaczego zadzwoniłeś, chłopcze? Czego ode mnie chciałeś?

— Chyba pobyć w towarzystwie przyjaciela.

— To nigdy dużo nie kosztuje.

— I powiedzieć ci...

— Że jesteś Borgesem. — Manny się roześmiał. — Oczywiście, że jesteś, ty durna pało. I o to chodzi.

— Tak. Ale teraz rozumiem.

Rozdział trzydziesty czwarty

Sklep z dywanami prosperował całkiem nieźle. Co wcale nie znaczy, że Warszawa cienko przędła. Restauracja mieściła się w typowym bungalowie z lat dwudziestych, w stylu craftsman, w pokojach, które wychodziły jeden na drugi, bez żadnych korytarzy. Podłoga z twardego drewna, duże podwójne okna. W trzech pomieszczeniach urządzono jadalnię. Największy był przedzielony niską ścianką. Z następnego wychodziło się przez oszklone drzwi na alejkę obsadzoną powojami. W trzecim, najmniejszym, trwało rodzinne przyjęcie. Wciąż dochodzili tam ze stosami paczek kwadratowi, nieróżniący się prawie od siebie ludzie.

W otwartych oknach wisiały firanki. Tak blisko

brzegu nie było klimatyzacji ani potrzeby, by ją zakładać.

Bernie Rose siedział w drugim pokoju obok oszklonych drzwi, przy narożnym stoliku. Przed nim stała opróżniona w jednej czwartej butelka i opróżniony w połowie kieliszek wina. Kiedy pojawił się Kierowca, starszy mężczyzna wstał i podał mu rękę. Wymienili uścisk dłoni.

Ciemny garnitur, szara frakowa koszula ze spinkami w mankietach, bez krawata.

— Masz ochotę na kieliszek, na początek? — zapytał Rose, kiedy usiedli. — Czy jak zwykle wolisz swoją whisky?

— Wino jest dobre.

— Rzeczywiście jest. Zadziwiające, na co można ostatnio trafić. Wina chilijskie, australijskie. To jest z nowej winnicy na północnym zachodzie.

Bernie Rose nalał. Stuknęli się kieliszkami.

— Dziękuję, że przyszedłeś.

Kierowca skinął głową. Atrakcyjna starsza kobieta w czarnej minispódniczce, srebrnej biżuterii i bez pończoch wyszła z kuchni i zaczęła przysuwać do siebie stoliki. Przez prowadzące do kuchni drzwi za jej plecami dobiegały strzępy hiszpańszczyzny. Kierowca je słyszał, kiedy jego towarzysz odezwał się ponownie.

— Właścicielka — wyjaśnił. — Nigdy nie poznałem jej nazwiska, chociaż przychodzę tutaj prawie od dwudziestu lat. Może w tym ubraniu nie wygląda tak dobrze jak wtedy, ale...

Wyglądała, pomyślał Kierowca, jak ktoś, kto absolutnie dobrze czuje się w swojej skórze, co wszędzie jest rzeczą dość rzadką, a w wiecznie podążającym za trendami i na nowo się odnajdującym LA tak niezwykłą, że można ją było uznać za dywersję.

— Mogę ci polecić kaczkę. Do diabła, mogę polecić wszystko. Gulasz myśliwski z domową kiełbasą, kapustą lila, cebulką i befsztykiem. Pierogi, gołąbki, roladę wołową, placki ziemniaczane. I najlepszy barszcz w całym mieście, podawany na zimno, kiedy na dworze jest upał, i na ciepło, kiedy robi się chłodniej. Ale kaczka jest warta grzechu.

— Kaczkę — powiedział Bernie Rose, kiedy do stolika podeszła wyglądająca na studentkę kelnerka Valerie z żylakami na nogach — i jeszcze jedną butelkę tego samego.

— Cabernet merlot, prawda?

— Tak jest.

— Kaczkę — powtórzył za nim Kierowca. Czy kiedykolwiek w życiu jadł kaczkę? Pojawili się kolejni kwadratowi ludzie z opakowanymi prezentami i skierowano ich do trzeciego pokoju. Jak oni się tam wszyscy mieścili? Właścicielka w czarnej minispódniczce podeszła do nich, mając nadzieję, że im smakuje, i prosząc, by osobiście dali jej znać, gdyby czegoś potrzebowali, gdyby mogła dla nich coś zrobić.

Bernie Rose napełnił ponownie kieliszki.

— Jesteś na fali, chłopcze — powiedział. — Nieźle się tam obłowiłeś.

— Wcale się o to nie prosiłem.

— Na ogół się nie prosimy. Ale i tak spada nam to na głowę. Ważne jest, co z tym zrobisz. — Popijając wino, Bernie spojrzał na innych gości. — Ich życie to dla mnie tajemnica, wiesz. Kompletnie niezgłębiona.

Kierowca pokiwał głową.

— Izzy i ja byliśmy ze sobą, odkąd sięgam pamięcią. Razem dorastaliśmy.

— Przykro mi.

— Niepotrzebnie.

Berniemu nie było przykro, kiedy próbował kaczkę.

Objadali się, nalewając sobie mrożoną cytrynową herbatę z oszronionego dzbanka, który postawiła na ich stoliku Valerie.

— Dokąd się stąd wybierasz? — zapytał Bernie Rose.

— Trudno powiedzieć. Wrócę chyba do mojego dawnego życia. Jeśli nie spaliłem za sobą zbyt wielu mostów. A ty?

Bernie wzruszył ramionami.

— Myślałem, żeby wrócić na wschód. Tak naprawdę nigdy mi się tu nie podobało.

— Mój przyjaciel twierdzi, że w całej historii Ameryki chodzi o poszerzanie granic. Kiedy dochodzi się do końca, mówi, a z czymś takim mieliśmy do czynienia tutaj, gdy dotarliśmy do końca lądu, nie ma już nic i robak zaczyna zjadać własny ogon.

— Powinien zamiast tego spróbować kaczki.

Kierowca wbrew woli się uśmiechnął.

Racząc się drugą butelką caberneta merlota i dokładką tego obfitego posiłku, otoczeni przez zwyczajne życie, wylądowali na chwilę na czymś w rodzaju wyspy, na której mogli udać, że w nim uczestniczą.

— Myślisz, że wybieramy nasze życie? — zapytał Bernie Rose przy kawie i koniaku.

— Nie. Ale nie sądzę też, by ktoś nam je narzucał. Mam wrażenie, że przez cały czas przesypuje się pod naszymi stopami.

Bernie Rose pokiwał głową.

— Kiedy pierwszy raz o tobie usłyszałem, mówili, że prowadzisz samochód, że to wszystko, co robisz.

— Wtedy to była prawda. Czasy się zmieniają.

— Nawet jeśli my jesteśmy dalej tacy sami.

Valerie przyniosła rachunek, który Bernie Rose uparł się zapłacić. Potem wyszli na parking. Jasne gwiazdy na niebie. Sklep z dywanami już zamykali, rodziny pakowały się do poobijanych pick-upów, sypiących się chevroletów, dziadowskich hond.

— Gdzie jest twoja bryka?

— Tam — odparł Kierowca. Na samym końcu parkingu, schowana w połowie za ogrodzonym śmietnikiem. Oczywiście. — Więc twoim zdaniem się nie zmieniamy?

— Nie, nie zmieniamy. Najwyżej się adaptujemy.

Radzimy sobie. Kiedy masz dziesięć, dwanaście lat, wszystko jest już w tobie z grubsza poustawiane, to, jaki będziesz i jak będzie wyglądało twoje życie. To jest twoja bryka?

Datsun z lat dziewięćdziesiątych, ostro poobijany, pozbawiony wielu części, takich jak zderzaki, klamki u drzwi, z łatami szpachlówki i farby podkładowej.

— Wiem, nie prezentuje się najlepiej. Ale o nas w końcu można powiedzieć to samo. Mój znajomy specjalizuje się w przerabianiu czegoś takiego. Te auta już wcześniej są dobre. Kiedy wyjdą spod jego ręki, są niesamowite.

— Też kierowca?

— Kiedyś nim był, zanim roztrzaskał sobie oba biodra w wypadku. Wtedy właśnie zaczął je rozkładać i składać na nowo.

Parking był już pusty.

Bernie Rose wyciągnął rękę.

— Chyba już się nie zobaczymy. Uważaj na siebie, chłopcze.

Podając mu dłoń, Kierowca zobaczył nóż — a właściwie odbijające się od ostrza światło księżyca —

trzymany przez Berniego w lewej ręce i zataczający niski łuk.

Kopnął go mocno kolanem w rękę, złapał za podnoszący się nadgarstek i wbił mu nóż prosto w gardło. Trafił w sam środek, daleko od tętnic szyjnych i innych większych naczyń krwionośnych, więc trochę to trwało. Ale przeciął mu krtań i przebił tchawicę, przez którą Bernie Rose wydał ze świstem ostatnie tchnienie. Więc nie za długo.

To właśnie mają na myśli ludzie, kiedy używają takich słów jak łaska, pomyślał, patrząc w gasnące oczy Berniego Rose'a.

Podjechał do końca nabrzeża, dowlókł ciało Berniego do krawędzi i zrzucił je w dół. Z wody powstajemy. Do wody wracamy. Zaczynał się odpływ. Zabrał ciało i łagodnie je ze sobą uniósł. W wodzie odbijały się światła miasta.

Potem siedział, czując każdym fibrem delikatny pomruk i pulsowanie datsuna.

Siedział za kółkiem. To właśnie robił. To robił zawsze.

W końcu puścił sprzęgło i wyjechał z parkingu przy plaży, wracając do świata tu, przy samym jego skraju, z silnikiem mruczącym pod maską, mając nad sobą żółty księżyc, a przed sobą setki mil. Ale dla Kierowcy to jeszcze nie koniec. W nadchodzących latach, na długo przedtem nim o trzeciej rano w czysty chłodny poranek zginie w barze w Tijuanie, na długo przedtem nim Manny Gilden zrobi z jego życia film, będą inne zabójstwa i inne trupy.

Bernie Rose był jedynym, którego kiedykolwiek opłakiwał.